Ignacio Ramonet

# Géopolitique du chaos

Gallimard

# Introduction

*Les métamorphoses du pouvoir*

Qui gouverne le monde à l'aube d'un nouveau millénaire ? Après la fin de la « guerre
froide », il ne reste qu'une seule grande puissance, les États-Unis. Mais quelle est leur véritable influence dans un univers où l'économie
dicte sa loi ? Quel est le rôle, dans ce nouveau
contexte, des instances de régulation internationales comme l'ONU, le G7, l'OCDE, l'Organisation mondiale du commerce (OMC), etc. ?
Quel est le vrai pouvoir des médias, des groupes
de pression (lobbies), des Organisations non
gouvernementales (ONG) ? Partout, dans les
relations internationales comme au sein de la
société, une mutation du pouvoir se produit.
C'est perceptible aussi bien à l'échelle de l'État,
dont la capacité d'intervention est amoindrie,
qu'à l'échelon de la famille, de l'école ou de
l'entreprise. Nous sommes en train de passer

de formes de pouvoir autoritaires, hiérarchiques, verticales à des formes négociées, réticulaires, horizontales, consensuelles, plus civilisées mais plus complexes.

## *Conflits et menaces de nouveau type*

Du point de vue géopolitique, le monde présente l'aspect d'un grand chaos : d'un côté, multiplication des unions économiques régionales (Union européenne, ALÉNA, Mercosur, Apec...) ; de l'autre, renaissance des nationalismes, montée des intégrismes, États divisés, minorités réclamant leur indépendance. La plupart des conflits en cette fin de siècle (Kosovo, Timor-Oriental, Daghestan, Algérie, Albanie, Bosnie, Tchétchénie, Kurdistan, Afghanistan, Chiapas, Soudan, Liberia, Congo-Zaïre, Rwanda, etc.) sont des conflits internes, intraétatiques, qui opposent un pouvoir central à une fraction de sa propre population.

Par ailleurs, des réseaux mafieux internationaux et le crime organisé constituent de nouvelles menaces parce qu'ils contrôlent toutes sortes de circuits clandestins (prostitution, contrebande, trafic de drogues, vente d'armes, dissémination nucléaire). D'autre part, les grandes migrations dues à la pauvreté sont

perçues également comme une menace trans-
frontière par les États riches du Nord. Contre
laquelle (comme contre les pollutions atmo-
sphériques ou contre la propagation des nouvelles maladies) les armes traditionnelles de la
panoplie militaire ne servent à rien.

## Montée des inégalités et des discriminations

L'aggravation des inégalités entre le Nord et le
Sud trouve son prolongement au sein même des
pays les plus développés. Bien que faisant partie
des 20 % de la population de la planète qui se
partagent plus de 80 % du revenu mondial,
l'Union européenne compte plus de 50 millions de pauvres… Le nombre de chômeurs y
atteint, en 1999, les 20 millions. La machine
économique fabrique de plus en plus de margi-
naux, notamment parmi les jeunes, les femmes
et les immigrés. Les étrangers sont stigmatisés,
et des dirigeants d'extrême droite attisent insi-
dieusement les sentiments xénophobes de la
population confrontée à la misère et au chômage. Ces problèmes mettent en cause la finalité des sociétés libérales.

*La mondialisation de l'économie*

En cette fin de siècle, tous les États sont pris dans le grand mouvement de la mondialisation, qui rend les économies dépendantes les unes des autres. Les marchés financiers tressent une toile invisible qui relie les pays et, en même temps, ligote et emprisonne les gouvernements. Aucun État, pratiquement, ne peut plus s'isoler du reste de la planète. Quelles conséquences pour les citoyens ? Pour la démocratie ?

*Les nouveaux maîtres du monde*

La Terre est désormais disponible pour une nouvelle ère de conquête, comme au xv^e siècle. À l'époque de la Renaissance, les acteurs principaux de l'expansion conquérante étaient les États. Aujourd'hui ce sont des entreprises et des conglomérats, des groupes industriels et financiers privés qui entendent dominer le monde, lancent leurs razzias, et amassent un immense butin. Jamais les maîtres de la Terre n'ont été aussi peu nombreux, ni aussi puissants.

*La planète mise à sac*

Au nom du progrès et du développement, l'homme a entrepris, depuis la révolution industrielle, la destruction systématique des milieux naturels. Les prédations et les saccages en tous genres se succèdent, infligés aux sols, aux eaux, à la végétation et à l'atmosphère de la Terre. La pollution produit des effets — réchauffement du climat, appauvrissement de la couche d'ozone, pluies acides, empoisonnement alimentaire — qui mettent en péril l'avenir de notre planète. Le productivisme à outrance est le premier responsable de l'actuelle mise à sac, mais aussi l'explosion démographique du Sud et la pollution urbaine. L'étendue des désastres écologiques et des problèmes qu'ils soulèvent préoccupe tous les citoyens de la planète. La disparition de nombreuses espèces de la faune et de la flore crée d'inquiétants déséquilibres. Protéger la variété de la vie devient un impératif. Car la richesse de la nature, c'est en premier lieu sa diversité.

*Les villes à l'assaut de la Terre*

Sur toute la planète, irrésistiblement, la population se concentre dans les villes, dont la croissance démesurée échappe de plus en plus à la maîtrise humaine. Au Nord, comme au Sud, des agglomérations tentaculaires bouleversent les équilibres écologiques, sociaux et économiques, drainent l'essentiel des richesses, accumulent, entre une minorité de privilégiés et la masse des exclus, des tensions qu'un pouvoir, souvent peu démocratique, est impuissant à régler pacifiquement.

Les mégavilles du Sud (Mexico, São Paulo, Calcutta, Le Caire, Lagos, Shanghai) semblent annoncer la décomposition du modèle occidental de société urbaine. Tandis que dans les banlieues du Nord, la crise enferme dans des cités-ghettos des populations sans perspectives d'avenir qui expriment leur désespoir dans de fréquentes explosions de violence.

*Sciences et techniques, triomphes et dangers*

Plus d'un millier de satellites tournent en permanence autour de la Terre. Des engins devenus indispensables pour la télévision, les télécommunications, la météorologie, la surveillance militaire, la navigation, etc.

Les enjeux économiques et politiques des technologies de l'espace sont devenus, pour les États, extrêmement importants. La puissance passe désormais par l'espace. Ce qui suppose une industrie performante en matière d'aéronautique ainsi que de fusées, de lanceurs, et de fabrication de satellites. Seuls quelques États (États-Unis, Union européenne, Russie, Chine, Japon, Inde, Israël) possèdent les atouts pour dominer ces techniques qui leur ouvrent la voie de la puissance pour le prochain siècle.

Ce développement irréversible de la technologie met-il en jeu la survie de l'humanité? L'homme continue de tenir la nature pour servante alors que ses recherches atteignent désormais des frontières essentielles. Au lieu d'être mis à contribution pour répandre le bien-être et la justice, le savoir sert trop souvent les détenteurs de pouvoirs privilégiés.

Une poignée de firmes dominent la recherche mondiale pour leur propre profit. Au Nord, les catastrophes de Tchernobyl, du sang contaminé, de l'amiante ou de la «vache folle» n'ont pas suffi à provoquer le vaste débat qu'exige l'émergence de la «techno-société». Le Sud, victime de l'exode des cerveaux, refuse de plus en plus d'accueillir les déchets de la société industrielle et les pesticides. Non content d'étendre la logique marchande à l'ensemble des activités sociales, l'homme contemporain y intègre désormais la vie elle-même. La cellule, le gène, grâce aux performances des manipulations génétiques et des biotechnologies, deviennent de la matière première au même titre que le pétrole ou le coton. L'être humain peut-il accepter de devenir, au nom de la science et du progrès, une matière première rentable ?

*Révolution dans les communications*

Le mariage de l'informatique, des télécommunications et de la télévision provoque une véritable révolution que rendent possible les technologies du numérique. Cela signifie davantage de moyens de communiquer (comme le montre le boom actuel du téléphone mobile ou celui d'Internet) et le développement de nouveaux usages.

Dès à présent de nombreuses richesses du multimédia sont accessibles. Cette révolution des communications entraîne des conséquences de tous ordres, aussi bien dans le domaine économique (les industries de la communication pourraient être les locomotives de l'économie au début du prochain millénaire) que dans le domaine sociologique (nouveau clivage entre inforiches et infopauvres, entre pays du Nord hyperéquipés et pays du Sud sous-équipés).

*Vers une civilisation du chaos ?*

Les sociétés occidentales ne se voient plus clairement dans le miroir du futur ; elles semblent hantées par le chômage, gagnées par l'incertitude, intimidées par le choc des nouvelles technologies, troublées par la mondialisation de l'économie, préoccupées par la dégradation de l'environnement, et fortement démoralisées par une corruption galopante. De surcroît, la prolifération des « guerres ethniques » répand sur ces sociétés les relents d'un remords et comme un sentiment de nausée.

Dans ce sombre contexte, quelle est la responsabilité de la culture ? Les États-Unis restent, en la matière aussi, la référence et les pionniers de la culture de masse, qu'il s'agisse de sport, de *world music*, de séries télévisées, d'émissions d'information ou de parcs de loisirs. Pris en main par les marchands, le modèle culturel a dérapé dans l'insignifiant, le sensationnel ou le vulgaire.

Les créateurs peuvent-ils laisser faire ? Les intellectuels sauront-ils se mobiliser pour éviter que, à l'aube d'un nouveau millénaire, la civilisation sombre dans la fascination du chaos ?

# MUTATION DU FUTUR

*Deux choses menacent le monde :
l'ordre et le désordre.*

PAUL VALÉRY

Nul n'ignore plus que nous vivons, en cette fin de siècle, une période de ruptures, de cassures, de recomposition générale des forces géostratégiques, des formes sociales, des acteurs économiques et des repères culturels. Partout, alarme et désarroi succèdent à la grande espérance d'un « nouvel ordre mondial ». Celui-ci, on le sait à présent, est mort-né. Et nos sociétés, comme lors de précédentes époques de transition, se demandent si elles ne s'acheminent pas vers le chaos.

À la veille d'entrer dans le IIIᵉ millénaire, chacun peut constater que l'incertitude est devenue l'unique certitude. Et qu'une sorte de sinistrose mondiale se répand dans un climat de grogne générale et de désenchantement.

Après la chute du mur de Berlin, après la
guerre du Golfe et l'implosion de l'Union soviétique, l'optimisme est terminé. Le regard du
citoyen scrute l'avenir et panique en voyant partout monter les forces de la désorganisation et
de l'anomie. L'âge planétaire au seuil duquel
nous nous trouvons apparaît plein d'inconnues,
de périls et de menaces.

Durant des décennies, l'Occident avait cher-
ché obstinément l'effondrement des régimes
communistes à l'Est et la destruction de l'Union
soviétique. Une fois ces objectifs atteints, l'atmosphère aurait dû être à l'euphorie et au
triomphe. Il n'en est rien. Cette victoire inespé-
rée en vient même à inquiéter : « Nous avons
devant nous un monde encore plus mystérieux
que naguère », reconnaît, par exemple, Robert
Graves, un ancien directeur de la CIA.

Comment en est-on arrivé là ? Dans les
domaines les plus divers, les bouleversements
de ces dernières années placent les sociétés au
seuil de bifurcations fondamentales. Un grand
désordre brouille le paysage géopolitique après
la guerre froide, et chacun réclame du sens. On
veut comprendre. Que se passe-t-il ? Pourquoi
en sommes-nous là ? Quel grand dessein pour-
suit notre civilisation ?

Les citoyens constatent l'incapacité des dirigeants politiques à analyser et à expliquer les

dimensions et la nature de la crise contemporaine. Nul ne semble en mesure d'identifier le principe fondateur de l'ère nouvelle dans laquelle nous sommes entrés après l'effondrement du monde postcommuniste. Il nous faut trouver de nouvelles formes de pensée.

Des événements de très grande ampleur — unification allemande; disparition des régimes communistes de l'est de l'Europe; effondrement de l'URSS (dont les causes restent énigmatiques); crise des Nations unies; abolition de l'apartheid en Afrique du Sud; fin des « guerres de faible intensité » (Salvador, Nicaragua, Angola, Afghanistan, Cambodge); changements radicaux en Éthiopie, en Guinée, en Algérie, au Chili; fin du régime Mobutu au Congo-Zaïre…, reconnaissance mutuelle d'Israël et des Palestiniens; renaissance de la Chine et restitution de Hongkong à Pékin; émergence de l'Inde, etc. — modifient totalement le visage géostratégique de la planète. D'autres événements, de rythme plus lent mais d'énorme portée, comme la poursuite de la construction européenne, exercent aussi une influence décisive sur le flux général de la vie politique mondiale et provoquent, en cascade, des perturbations multiples.

Tous ces changements viennent s'ajouter aux mutations de grande ampleur qui, au cours de la dernière décennie, ont bouleversé les modes d'organisation du travail et les méthodes de production à cause de l'introduction massive de l'informatique et des nouvelles technologies de la communication dans les usines et les entreprises.

La fin de la guerre froide et les changements en cours, en libérant la pensée des carcans idéologiques et des fidélités imposées, nous encouragent à mieux comprendre le monde réel, hors des dogmes, des doctrines et des schémas intellectuels scolastiques.

Cette période exceptionnelle correspond à un véritable changement d'ère ; cela provoque une nouvelle angoisse de l'Occident, un profond malaise dans les sociétés développées. D'autant que nul ne sait à quoi ressemblera le nouvel âge qui commence. « Nous sommes — constate Alexander King, cofondateur du club de Rome — au milieu d'un processus long et pénible menant à l'émergence, sous une forme ou sous une autre, d'une société globale dont il n'est pas encore possible d'imaginer la structure probable. »

L'âge des héros est terminé ; on sait à présent que tout est solidaire et que, en même temps, tout est conflictuel. Que le nouvel ordre doit tout englober et ne rien exclure de son champ d'action : la politique, l'économie, le social, le culturel et l'écologie. Un champ, d'évidence

excessivement vaste pour les ambitions hégémo-
niques des États-Unis, même après leur écrasante
victoire militaire dans la guerre du Golfe. « La
situation des États-Unis est curieuse — observe
Arthur Schlesinger, ancien conseiller du président Kennedy —, c'est une superpuissance militaire, mais incapable d'assumer le coût de ses
propres guerres. Elle ne peut donc avoir un
grand avenir comme superpuissance. Nous ne
sommes pas en mesure de gouverner le monde. »

En fait, au projet d'unification du monde
sous la conduite de Washington s'oppose avec
vigueur le regain de tous les particularismes
nationaux, religieux, ethniques... Toutes ces
forces historiques, longtemps figées par l'équilibre de la terreur et qui déboulent torrentiel-
lement en cette fin de millénaire.

Les Nations unies, comme toute l'architecture internationale bâtie à l'issue de la seconde
guerre mondiale, ne semblent pas adaptées à la
violence des secousses nouvelles. Là encore, l'espoir d'un monde plus juste, harmonieusement
régi par l'ONU s'est effondré. En particulier,
après les retentissants échecs de l'Organisation
internationale en Somalie, en Angola, en Bosnie-Herzégovine et au Rwanda.

Au sein des Nations unies, l'Allemagne et le
Japon, après des années de profil bas, ne font
plus mystère de leur ambition : ils veulent un

siège de membre permanent au Conseil de
sécurité, au même titre que les États-Unis, la
Russie, le Royaume-Uni, la France et la Chine.
Cela, estiment-ils, ajouterait enfin la dimension
politique qui manque à leur statut de superpuissance économique que chacun leur reconnaît.

L'idée de réformer l'ONU est dans l'air depuis
longtemps ; elle a pris une nouvelle vigueur avec
la fin de la guerre froide, la disparition de
l'URSS et celle de l'ensemble du bloc socialiste
qui constitua pendant des décennies l'un des
protagonistes principaux de la vie de l'Organisation internationale. La conséquence la plus
remarquable en est l'abandon de la « politique
des veto » pratiquée par les cinq Grands qui a
longtemps paralysé l'Organisation.

« Depuis la création de l'ONU en 1945 — constate Boutros Boutros-Ghali, ancien secrétaire
général — une centaine de conflits majeurs ont
éclaté de par le monde, qui ont provoqué plus
de 20 millions de morts. L'ONU est restée
impuissante devant la plupart de ces crimes en
raison des veto — au nombre de 279 — opposés
à l'action du Conseil de sécurité. La guerre
froide étant achevée, les veto ont pris fin le
31 mai 1990. » Cela a permis aux États-Unis de
s'emparer à la hussarde du pouvoir effectif au
sein du Conseil de sécurité et de conduire à leur

guise, sous couvert de «recommandations de l'ONU», la guerre du Golfe contre l'Irak ou la nomination, fin 1996, du nouveau secrétaire général, Kofi Annan.

À propos des changements éventuels au sein du Conseil de sécurité, n'est-il pas temps que de grandes puissances démographiques, qui sont à la fois des puissances régionales, comme l'Inde, le Brésil, le Mexique, le Nigeria, ou l'Égypte, occupent une place de membre permanent au sein d'un Conseil de sécurité reflétant plus fidèlement le vrai visage du monde? Comme le dit le grand écrivain nigérian Wole Soyinka, prix Nobel de littérature : «Pourquoi ne pas commencer par démocratiser le Conseil de sécurité? Pourquoi ne pas étendre son pouvoir et donner un peu de voix véritable à ceux dont le destin est en jeu dans cet ordre nouveau qui est en train de se construire?»

Dans ce nouveau contexte géopolitique, une notion fondamentale paraît sérieusement brouillée : celle de l'adversaire, de la menace, du danger. Ce concept a vu sa signification s'altérer sans que l'on sache désormais qui il désigne exactement. Qui est l'ennemi? Quel est le péril dominant? Qui en est le vecteur? Ces questions, auxquelles l'Occident a, pendant soixante-dix ans, toujours répondu «le communisme», «l'URSS», restent désormais sans réponse claire. Or, ces réponses demeurent fondamentales et structurantes pour tout régime politique, et en particulier pour le régime démocratique. Elles conditionnent la définition d'un système de sécurité capable de se préserver et de prévenir les crises. Elles lui permettent, surtout, de construire un discours sur sa propre identité.

À la question : « Qui est l'ennemi de l'Occident ? », l'Organisation du traité de l'Atlantique nord (OTAN) elle-même ne sait plus que répondre. Et cela affecte profondément cette alliance qui s'interroge sur sa propre identité, sur ses objectifs et semble actuellement désorientée.

L'ennemi principal a cessé d'être univoque ; il s'agit désormais d'un monstre aux mille visages qui peut prendre tour à tour l'apparence de la bombe démographique, de la drogue, des mafias, de la prolifération nucléaire, des fanatismes ethniques, du Sida, du virus Ebola, du crime organisé, de l'intégrisme islamique, de l'effet de serre, de la désertification, des grandes migrations, du nuage radioactif, etc. Toutes menaces sans frontières et d'amplitude planétaire qui se propagent sur l'ensemble de la Terre et que l'on ne peut combattre avec les armes classiques de la guerre.

Comment, dans ces conditions, un État peut-il définir une nouvelle politique extérieure ?

Alors que les grands problèmes sont globaux, transfrontières (environnement, faim, analpha bétisme, risques nucléaires, nouvelles épidémies, fondamentalismes, etc.) et ne peuvent trouver de solution à l'échelle locale ?

Certains voient la menace dominante dans la nébuleuse islamiste qui, telle une nouvelle Internationale, rayonnant à partir de ses pôles principaux — Arabie Saoudite, Iran, Soudan, Pakistan —, chercherait à déstabiliser des pays comme l'Égypte ou l'Algérie susceptibles d'entraîner dans leur chute une grande partie du monde arabe.

C'est oublier que l'islamisme a, avant tout, des causes locales et prend racine dans l'échec social et économique d'États non démocratiques, souvent corrompus, ainsi que dans le désir de revanche des déshérités, des laissés-pour-compte et des exclus d'une modernisation bâclée. Sous couvert d'extrémisme religieux, on assiste en fait, dans un monde arabe figé par des régimes autocratiques, à l'irruption des peuples sur la scène politique.

Dans l'ensemble des tiers-mondes pourtant, le temps des rébellions semble terminé. Des guerres subsistent, çà et là, en Afrique notamment, mais elles ne sont plus conduites au nom d'idées politiques messianiques de libération de l'homme et de construction d'un projet universel de société. Le plus souvent, il s'agit d'affrontements à caractère régionaliste, tribal ou ethnique comme au Liberia, au Rwanda, au Burundi, au Soudan, au Sri Lanka, aux Philippines, etc.

En Amérique latine, les dernières guérillas encore dans le maquis (Colombie, Pérou) sont tentées par la négociation et l'intégration à la vie politique, comme l'a fait le Front Farabundo Marti de libération nationale (FMLN) au Salvador après dix ans de guerre, et plus récemment, fin 1996, la guérilla guatémaltèque. Même le chef historique de Sentier lumineux, Abimaël Guzman, a appelé, de sa prison de Lima, à négocier...

Dans ce contexte, l'irruption, en janvier 1994 au Chiapas (Mexique), de l'Armée zapatiste de libération nationale (EZLN) et du sous-commandant Marcos est venue rappeler que trop d'inégalités et d'injustices subsistent en Amérique latine dont sont victimes, en particulier, les Indiens. Et qu'il y aura toujours des raisons de se révolter.

L'Europe occidentale se retrouve géographiquement prise en tenaille, dans la mâchoire de deux vastes zones instables et dangereuses : l'Est, ravagé par le désastre économique, la flambée des nationalismes et les guerres en cours ou à venir ; et la rive sud de la Méditerranée ployant sous le poids d'une démographie excessive, malade de ses régimes autoritaires, rongée par des troubles endémiques et constamment menacée d'explosion sociale.

Mais le malaise de l'Europe n'a pas pour origine les malheurs qui frappent les pays de son voisinage ; c'est au sein même du Vieux Continent que les sociétés s'interrogent, après la laborieuse approbation du traité de Maastricht. Les citoyens se demandent s'il y a vraiment un avantage à appartenir à l'Union européenne, et si la perte progressive de l'indépendance nationale n'est pas un prix excessif à payer.

En même temps, l'Europe occidentale constitue, avec l'Amérique du Nord et le Japon, une triade de la puissance où se concentrent à la fois la plus grande aisance financière, les principaux conglomérats industriels et l'essentiel de l'innovation technologique. Cette triade domine le monde comme aucun empire d'un autre temps ne le fit jamais.

Mais cette domination est rongée par les effets d'un autre phénomène d'ampleur planétaire : la mondialisation de l'économie. Une mondialisation qui n'a jamais atteint un si haut degré et que les récents accords de l'Organisation mondiale du commerce (OMC) vont encore stimuler en intensifiant le libre-échange. Cela favorise l'émergence économique de l'Asie-Pacifique (Corée du Sud, Taïwan, Hong-kong, Singapour, Malaisie, Thaïlande, Indonésie, Philippines, Vietnam). Ajoutée au dynamisme du Japon et à l'essor de la Chine, cette émergence laisse entrevoir l'heure où l'Occident — pour la première fois depuis le XVIe siècle — ne sera plus le seigneur du monde.

D'autant qu'une crise de type nouveau affaiblit les grandes puissances industrielles de naguère (États-Unis, Royaume-Uni, Allemagne, France) en raison, notamment, des conséquences de l'expansion des nouvelles technologies informatiques. L'économie mondiale est complètement bouleversée comme elle le fut au cours de la seconde moitié du XIXe siècle par la seconde révolution industrielle (invention du chemin de fer, du télégraphe, du bateau à vapeur, de la moissonneuse, de la machine à coudre, etc.) quand la productivité fit un bond gigantesque, provoquant la grande crise de 1893.

Actuellement, un milliard et demi de travailleurs en Asie-Pacifique gagnent entre 2,5 et 44 dollars par jour, quand le salaire journalier moyen dans les pays industrialisés d'Europe de l'Ouest, des États-Unis et du Japon n'est jamais inférieur à 95 dollars (130 dollars en France et aux États-Unis, 198 en Allemagne). Les produits manufacturés et les produits agricoles reviennent donc beaucoup moins cher dans les pays du Sud et concurrencent ceux fabriqués ou cultivés dans le Nord. Cela entraîne des délocalisations d'usines vers le Sud et du chômage de masse au Nord, ainsi que des tentatives de démantèlement des protections sociales accusées de renchérir le coût du travail…

En cessant d'être soumis au poids des deux superpuissances, le monde est à la recherche d'une nouvelle stabilité et subit de plein fouet la force de deux dynamiques puissantes et contradictoires de fusion et de fission.

D'une part, certains États cherchent à s'allier, à fusionner avec d'autres dans le but de constituer des ensembles, surtout économiques, plus importants, plus solides, moins vulnérables. À l'instar de l'Union européenne — « objet » politique de type radicalement nouveau — d'autres groupes de pays, en Amérique du Nord (Alena) et du Sud (Mercosur), en Afrique du Nord (UMA), en Asie (APEC), en Europe de l'Est, etc., multiplient les accords de libre-échange, réduisent les barrières douanières afin de stimuler le commerce, en même temps qu'ils renforcent leurs alliances politiques et sécuritaires.

À l'opposé de ces mouvements de fusion, et simultanément, des ensembles multinationaux (Canada, Inde, Sri Lanka, Chine, Indonésie,

Congo) connaissent les effets de la fission, ils
se fissurent, se disloquent (Tchécoslovaquie,
Éthiopie, Somalie) ou implosent en se frag-
mentant (Union soviétique, Balkans, Caucase)
sous les yeux atterrés de leurs voisins.

Les trois États fédéraux d'Europe orientale
— URSS, Yougoslavie et Tchécoslovaquie — se
sont brisés, donnant naissance à quelque vingt-
deux États indépendants ! Un véritable sixième
continent. Des pays souverains plus nombreux
que ceux apparus après la première guerre
mondiale lors de la dislocation des trois Empires
autrichien, tsariste et ottoman, ou qu'après les
décolonisations africaines des années cinquante
et soixante.

Presque partout en Europe, ces fractures ont
ravivé de très anciennes blessures ; dans de nombreuses régions, les frontières sont contestées et
la présence de minorités donne lieu à des mon-
tées d'irrédentisme, à des surenchères nationalistes, à des rêves d'annexion, de scission ou
de purification ethnique... Dans les Balkans et
au Caucase, cela a très vite débouché sur des
guerres ouvertes (en Slovénie, en Croatie, en
Bosnie, au Kosovo, en Moldavie, dans le Haut-
Karabakh, en Ossétie du Sud et en Abkhazie).
Des conflits du même type menacent ailleurs :
en Crimée, en Macédoine, en Albanie, en Tran-
sylvanie, en Slovaquie, en Estonie, sans parler

de ceux qui pourraient éclater à l'intérieur même de l'immense Russie et dont la guerre en Tchétchénie a offert un effroyable avant-goût.

Dans ces fusions et ces fissions, certains y voient l'affrontement majeur de cette fin de siècle : fédéralisme ou barbarie. Selon Edgar Morin, par exemple : « Le problème clé des années qui viennent est celui de la lutte multi-forme entre, d'une part, les forces d'associa-tion, de fédération, de confédération, non seulement en Europe, mais dans le monde, et les forces de disjonction, d'éclatement, de rup-ture, de conflit. »

Ces « forces de disjonction » semblent parti-culièrement stimulées par la renaissance de la conception ethnique de l'État-nation. L'idée — romantique, antirépublicaine — que l'État doit exercer son autorité sur une communauté ethnique homogène (même langue, même sang, même religion, même territoire) tout entière rassemblée à l'intérieur de frontières historiques, divise les citoyens et clive les socié-tés. Une telle conception nationaliste pose une nouvelle fois le problème des minorités et de leurs droits. Elle stimule, en même temps, les revendications irrédentistes comme, par exemple, celles de la Serbie qui, après la guerre contre la Croatie, avait entrepris d'absorber, au nez et à la barbe des forces d'interposition de l'ONU, les régions peuplées de Serbes en Bosnie-Herzégovine. De même, au Caucase, l'Arménie continue de réclamer l'annexion du Haut-Karabakh, et, en mer Noire, la Russie revendique la restitution de la péninsule de Crimée...

Une telle conception du nationalisme, qui a déchiré l'Europe au XIXᵉ siècle et jusqu'à la fin de la première guerre mondiale, resurgit également en Europe occidentale, à la faveur, curieusement, de la construction européenne. La force centripète de celle-ci brouille et modifie les contours de l'État-nation. Celui-ci, de plus en plus mal à l'aise, semble soumis à une double érosion entre le super-État européen auquel il ne cesse de transférer des compétences, et les différents États-régions auxquels, au nom de la décentralisation, il confie une part de plus en plus importante de ses prérogatives.

Beaucoup de ces États-régions d'Europe occidentale affirment d'autant plus leur personnalité politique qu'ils possèdent des caractéristiques culturelles distinctes ; c'est le cas, par exemple de l'Irlande du Nord, la Flandre, la Catalogne, le Pays basque, la Galice, l'Écosse, le pays de Galles, la Bretagne, la Corse, l'Alsace, la « Padanie »... Dans certaines de ces régions, les mouvements séparatistes se réclament d'une idéologie d'extrême gauche (Pays basque, Corse, Irlande du Nord), dans d'autres d'une idéologie d'extrême droite (Flandre, «Padanie») mais, dans les deux cas, tous défendent une «identité» parfois mythique et exaltent les légendaires «valeurs fondamentales de la communauté ethnique originelle».

Que devient, dans ces conditions, la souveraineté nationale? Elle semble progressivement grignotée de toutes parts. En premier lieu — et dans des domaines fondamentaux comme la monnaie, la défense et la politique étrangère — par les obligations qu'imposent les accords économiques et financiers (appartenance à l'OCDE, au Fonds monétaire international, au Système monétaire européen, à l'Organisation mondiale du commerce, etc.), les alliances militaires (OTAN, UEO, CSCE…) et les traités internationaux. Mais, aussi, par des facteurs plus insidieux, découlant de considérations strictement techniques. «Dans un monde où tout repose sur la technologie, note Alexander King, il a fallu conclure de nombreux accords portant sur des points précis pour permettre au système international de fonctionner, qu'il s'agisse de l'attribution des fréquences radio et des routes aériennes, des règlements de sécurité, de la normalisation des composants industriels, etc. Dans chaque cas cela entraîne une imperceptible limitation de la liberté d'action nationale, dont l'effet cumulatif est loin d'être négligeable. »

Cette dissolution de l'identité de l'État produit une intensification des confusions. Notamment en Europe occidentale, comme l'ont récemment montré les diverses élections législatives ou présidentielles. Partout, la classe politique semble discréditée, en décalage par rapport à l'opinion publique ; les partis dominants n'inspirent guère confiance et perdent des électeurs. Aux États-Unis également, à quelques mois de l'élection présidentielle de novembre 1996, par exemple, 75 % des citoyens n'étaient pas « satisfaits » des candidats William Clinton, Robert Dole et Ross Perot. Même au Japon, on assiste à un phénomène identique, la préparation des élections se fait désormais dans une atmosphère de dépréciation politique ; ni le gouvernement, ni l'opposition ne sont respectés. Le pessimisme est général.

Partis et hommes politiques sont largement considérés comme responsables de la crise globale d'une société qui n'offre ni sécurité, ni solidarité, et où les frustrations de tous ordres se multiplient. Les citoyens semblent lassés de la mauvaise gestion ; de la corruption ; des dysfonctionnements des services publics ; de la fiscalité dont ils ne voient pas la traduction pratique dans leur vie quotidienne; de l'absence de réformes; de l'excès de bureaucratie et du manque de sollicitude de l'État. «Face à cette société devenue étrangère à elle-même, nous avons dans tous les pays, remarque l'économiste André Gorz, deux types de rébellions. D'un côté, les gens culturellement armés pour assumer leur autonomie exigent la création et la protection, contre le pouvoir de l'État et le pouvoir de l'argent, de nouveaux espaces de solidarités autogérés et d'activités autodéterminées. De l'autre côté, nous avons la réaction régressive de ceux qui aimeraient retrouver la sécurité d'un ordre prémoderne, stable, hiérarchisé, fortement intégrateur, où dès sa naissance chacun a sa place assurée et assignée par son appartenance à sa nation ou à sa race.»

Ces rébellions de nouveau type succèdent aux résistances du mouvement ouvrier inspirées par une vision spécifique du futur qui semble s'être estompée avec l'effondrement des régimes communistes et la crise de la social-démocratie. Ce n'est d'ailleurs plus en termes de classes sociales que la société se représente elle-même tout en se demandant comment traduire politiquement des conflits qui ne sont plus des conflits de classe.

Certains essayistes en étaient venus, au début de la décennie, non sans une certaine précipitation, à parler même de « la fin des classes sociales » : « La fin d'une politique de classes, et peut-être des classes elles-mêmes, écrivait, par exemple, le sociologue Ralf Dahrendorf, signifie qu'il n'y a pas d'électorat naturel pour un programme de réformes. Les pays de l'OCDE sont dominés par une classe majoritaire qui représente 60 %, 70 % ou 80 % d'électeurs persuadés, dans leur ensemble, que leurs aspirations pourraient se réaliser si les choses continuent plus ou moins comme elles sont. Ils ne réclament aucune réforme importante ; tout ce qu'ils veulent, au contraire, c'est de la sécurité, un peu de chance, un gouvernement qui leur remplisse les poches, et des comptes bancaires qui ne cessent de rapporter. »

Mais, s'il n'y a pas d'« électorat naturel pour un programme de réformes », que devient la gauche, que devient le socialisme ? A-t-il encore un avenir ? Lionel Jospin, à l'époque chef du Parti socialiste français et candidat à l'élection présidentielle de mai 1995, déclarait en 1992 : « Il y a peu de raisons de croire que le socialisme, en tant que mode de production spécifique, ait un avenir[1]. »

Le libéralisme ne semble pas pour autant recueillir la sympathie massive des citoyens.

---

1. *Le Monde*, 11 avril 1992

Appliqué avec une rigueur implacable au cours de la décennie quatre-vingt aux États-Unis par Ronald Reagan et au Royaume-Uni par Margaret Thatcher, cette doctrine économico-politique a entraîné de brutales conséquences sociales : aggravation des inégalités, augmentation du chômage, désindustrialisation, dégradation des services publics, délabrement des équipements collectifs… Tous ces problèmes, selon les prophètes du monétarisme, seraient automatiquement résolus par « la main invisible du marché » et par la croissance macroéconomique. Les meilleurs experts estimaient que, grâce à la déréglementation, à l'abolition du contrôle des changes, à la globalisation financière et à la mondialisation du commerce, l'expansion serait perpétuelle.

L'enrichissement facile a été encouragé même dans des pays gouvernés par des socialistes, comme l'Espagne ou la France dans les années quatre-vingt. Des aventuriers, devenus nouveaux riches, parvenus parfois au rang de capitaines d'industrie, furent proposés par le pouvoir et les médias comme modèles à suivre, emblèmes de la réconciliation collective avec le capital et l'entreprise. La spéculation financière fut encouragée. On assista à l'apothéose des *golden boys*.

Avec le krach d'octobre 1987 et le dégonflement de la « bulle » financière, les faillites se sont succédé en cascade et l'on a alors découvert d'incroyables escroqueries propres à l'économie-casino. Au Japon, par exemple, sur la liste des dix plus grandes fortunes publiée par le mensuel *Nikkei Ventre*, on ne trouve que trois milliardaires devant leur richesse à des activités relevant de l'économie réelle. Les sept autres sont des spéculateurs.

De nombreuses personnalités qui durant la seconde moitié des années quatre-vingt avaient été citées en modèle à cause de leur foudroyant enrichissement ont été inculpées d'escroquerie, d'extorsion, d'abus de confiance et de corruption de divers ordres. Elles se sont souvent retrouvées en prison. Les héros étaient des tricheurs. La liste est interminable qui va de Robert Maxwell à Bernard Tapie.

Leur conception de l'économie-casino a été directement responsable, entre autres, de la débâcle des caisses d'épargne américaines (40 milliards de dollars de pertes) qui a entraîné la ruine de milliers d'épargnants, ou de la déconfiture du Crédit lyonnais en France (plus de 100 milliards de francs de pertes). Cela prouve, une fois encore, le fallacieux présupposé, rappelé ironiquement par John K. Galbraith, et qui voudrait faire croire que « les gros capitaux seraient nécessairement entre des gens

doués d'une puissance intellectuelle exceptionnelle ».

Ainsi, le capitalisme, sorti vainqueur de la
confrontation avec le socialisme soviétique,
apparaît lui-même singulièrement discrédité
par ses propres excès. Au point que, ici et là,
perce de plus en plus fortement une nostalgie
de l'État providence désormais en voie de
démantèlement au nom du marché. De nombreux citoyens dénoncent la société duale
avec, d'un côté, un groupe d'hyperactifs et, de
l'autre, la foule innombrable des précaires, des
chômeurs et des exclus.

Malgré tous ces ravages sociaux, le modèle
néolibéral s'étend, imposé au Sud par les grandes
organisations financières comme la Banque
mondiale et le Fonds monétaire international
(FMI). Les indicateurs macroéconomiques
— inflation, monnaie, déficit budgétaire, commerce extérieur, croissance — sont érigés en
impératifs absolus auxquels tout doit être sacrifié. Il n'y a pas, pense-t-on, d'autre voie de salut.
« Le jumelage de la démocratie et du marché,
affirme par exemple Jean-François Revel, fournit la seule clé de sortie aussi bien du communisme que du sous-développement. » Ce que
confirme l'un des grands « gourous » de l'ultralibéralisme, l'économiste américain Jeffrey
Sachs : « Ma conviction profonde est que la clé

de résolution de beaucoup de problèmes, y compris ceux du développement, réside dans l'intégration à l'économie mondiale. »

Le marché dicte le vrai, le beau, le bien, le juste. Les « lois du marché » sont devenues la nouvelle Table à révérer. S'écarter de ces lois reviendrait à s'acheminer fatalement vers la ruine et le dépérissement.

L'idée se répand, surtout après l'échec de l'économie planifiée en URSS, qu'il n'y a, de par le monde, qu'une façon et une seule (néolibérale) de conduire les affaires économiques d'un pays ; et que toutes les économies sont désormais enchaînées, interdépendantes. Ce système s'érige en nouveau totalitarisme, avec ses dogmes et ses grands prêtres. Au nom du « marché total », ses nouvelles lois recouvrent toute la planète, à quelques exceptions près.

Elles s'appliquent, en particulier dans certains pays de l'Est comme la Pologne ou la Russie, avec l'implacable rigueur des néophytes. Quoi qu'il en coûte socialement. Et ce en dépit des mises en garde prononcées, dès 1991, par des personnalités comme Mikhaïl Gorbatchev : « Que 80 % de la population russe vive en dessous du seuil de pauvreté et qu'on oublie les couches les plus défavorisées en pensant uniquement à la stabilisation macroéconomique, cela n'est pas tolérable.» Très vite, ces politiques imposées par le biais de thérapies de choc allaient décevoir.

Demeurés massivement favorables à une économie de marché, de plus en plus de citoyens refusent la réforme par la ruine et réclament une politique interventionniste de l'État pour corriger les excès, empêcher l'apparition de richesse ou de pauvreté extrêmes, et assurer à tous un niveau correct de couverture sociale. C'est ce programme qu'ont repris d'anciens dirigeants communistes polonais, devenus sociaux-démocrates, regroupés au sein de l'Union de la gauche démocratique (SLD). Il leur avait déjà permis de gagner les élections législatives de septembre 1993, et a assuré la victoire de Aleksander Kwasniewski à l'élection présidentielle de 1995.

La Pologne n'est pas le seul pays de l'Est où la population se détourne des forces politiques qui ont ouvert la voie des réformes. En Lituanie, en Hongrie, en Ukraine, en Slovaquie, en Bulgarie les anciens communistes ont connu des succès électoraux; ainsi qu'en Russie, aux législatives du 17 décembre 1995.

Imposer au forceps la stratégie ultralibérale, en dépit des résistances populaires, signifie non seulement affaiblir la démocratie mais encore alimenter les nationalismes les plus agressifs.

« Le réveil des nationalismes à l'Est n'est le plus souvent qu'une réaction de gens désespérés — estime Karol Modzelewski —, ouvriers, techniciens, enseignants paupérisés et déclassés, tous cherchent des explications simples au phénomène incompréhensible de leur malheur. Et ils trouvent des coupables faciles : les élites, les étrangers, les gens de langue ou de religion différentes sur lesquels décharger leurs frustrations. »

À cet égard, l'Europe de l'Est reste, tant que le choc ultralibéral ne sera pas amorti, l'une des zones les plus instables du monde, comme l'ont montré les grandes manifestations populaires de l'hiver 1996-1997 en Serbie et en Bulgarie, la révolte armée au sud de l'Albanie, en mars 1997, des gens ruinés par la spéculation financière, et les récentes guerres au Kosovo et au Daghestan.

Naguère, les économistes, à l'Est, proclamaient : « Tout ce qui n'obéit pas au plan est condamnable. » Les mêmes, convertis au libéralisme, disent aujourd'hui, avec une identique conviction : « Tout ce qui n'obéit pas aux lois du marché est à bannir. » Fondées sur la concurrence et la compétitivité, ces lois exigent un esprit de combat, une rivalité permanente, et poussent à produire au moindre coût ou à rendre très vite les produits obsolètes. L'accélération technologique a fortement stimulé, ces dernières années, la productivité et l'on peut désormais produire plus, en moins de temps et avec moins de salariés. En France, selon André Gorz, la durée annuelle du travail a diminué d'un tiers en trente ans, cependant que la production a plus que doublé. Et le phénomène s'accentue, au point que l'on peut aujourd'hui produire plus de richesses sans créer d'emplois. Le chômage risque de devenir structurel et endémique à moins de consentir — comme le proposent, en Europe, les Verts — à partager l'emploi et à envisager une semaine de vingt-quatre heures (au lieu de quarante) de travail sans diminution de salaire.

Sinon, au nom des grands équilibres, les entreprises continueront sans doute à « dégraisser ». Aux États-Unis, par exemple, la General Motors a fermé 21 usines, licencié 20 000 ouvriers, 10 000 cadres ; IBM a supprimé 20 000 emplois ; Digital Equipment, 10 000, etc. La seule industrie d'armement américaine a procédé, à cause de la fin de la guerre froide, à pas moins de 500 000 suppressions d'emplois (l'aéronautique en a perdu plus de 100 000 depuis 1990).

Et les entreprises de services ne sont plus épargnées ; après les grandes restructurations ayant frappé l'agriculture et les industries traditionnelles, c'est au tour du secteur tertiaire de connaître une drastique réduction du nombre de ses salariés. Banques, assurances, médias, voyagistes, publicité… tous ces secteurs — qui déjà, à cause des progrès en informatique et télécommunications, délocalisent une partie de leurs activités — vont continuer de perdre, au nom du «marché total», des centaines de milliers d'emplois…

Au Sud, ces mêmes lois conduisent à des situations de forte tension; car, théoriquement, des pays s'enrichissent (si on en croit les indicateurs macroéconomiques) alors que leurs citoyens s'appauvrissent. Au Pérou, le président Fujimori a procédé lui-même à un coup de force, en 1990, afin de pouvoir appliquer, autoritairement, sa conception de l'ultralibéralisme. En Algérie, le pouvoir militaire a agi, en janvier 1992, de la même manière alors que la population, poussée par le désespoir, avait rejoint massivement un parti islamiste… Pour sauver le marché, l'Occident accepte de sacrifier la démocratie.

L'attitude des pays du Sud participe de cette «occidentalisation du monde» qui fait dire à l'historien David S. Landes : «Tous les pays sous-développés du globe sont convertis aux religions de l'industrie et de la richesse, et leur foi surpasse celles des catéchistes. Jamais, au cours des milliers d'années où les civilisations ont été en contact, l'une d'elles n'a connu de réussite aussi universelle. »

Fascination pour le Nord, alors que les zones d'anomie se multiplient au Sud (en Colombie, en Algérie, au Soudan, au Congo-Zaïre, en Éthiopie, en Somalie, au Liberia, en Angola...) et que des cataclysmes (sécheresse, désertification, Sida) s'abattent sur nombre de ces pays, poussant des multitudes à émigrer, souvent clandestinement, vers ce qui apparaît, malgré tout, comme les pôles de prospérité de la planète, en particulier vers les États-Unis et l'Europe occidentale.

En Europe, l'atmosphère de crise (20 millions de chômeurs) cristallise sur ces clandestins toutes les rancœurs — de la gauche à l'extrême droite, les partis dénoncent ces « intrus » et exigent leur renvoi. En fait, par-delà ces clandestins, ce sont les communautés d'immigrés, installées depuis longtemps, qui sont désignées.

Le discours néofasciste de l'extrême droite les vise explicitement (camouflant, sous des dehors populistes, d'autres racismes et un fort sentiment antisémite) et bâtit ainsi une nouvelle légitimité. En France, par exemple, les propositions du Front national contre l'immigration sont désormais approuvées par plus de la moitié des Français alors qu'à peine 15 %

d'entre eux ont voté pour ce parti aux élections législatives de mai 1997.

Pour le sociologue Pierre Bourdieu, une telle attitude des citoyens n'est pas sans rapport avec le dogmatisme économiste : « Les conséquences d'une politique conçue comme gestion des équilibres économiques (au sens étroit du terme) se paient de mille façons, sous forme de coûts sociaux, psychologiques, sous forme de chômage, de maladie, de délinquance, de consommation d'alcool ou de drogue, de souffrance conduisant au ressentiment et au racisme, à la démoralisation politique… »

Les gens ont le sentiment que leur malheur est trop grand et que le pouvoir est trop loin ; ils n'ont pas l'impression d'être reconnus, ni entendus par ceux qui ont les moyens d'agir ou de clamer. Ils constatent que la plupart des sociétés continuent d'être structurées par des armatures juridiques et politiques élaborées à l'aube de l'ère industrielle, à la fin du xviiie et durant le xixe siècle. Ces armatures semblent aujourd'hui impuissantes à traduire la complexité de sociétés innervées par de multiples réseaux qui changent l'économie, accélèrent l'information, transforment la culture, bouleversent le travail, les valeurs, le mode de vie… L'accélération est telle dans certains domaines que la confusion et le scepticisme gagnent les esprits. Le cadre politique général semble, par comparaison, immobile, pétrifié, obsolète…

Les citoyens aspirent, confusément, à un rôle nouveau, plus actif, plus immédiat, plus directement lié à leur cadre de vie. Mais, en même temps, ils votent moins, se défient des partis et du pouvoir, désertent les syndicats, raillent la justice, critiquent les médias…

Cette poussée des aspirations des citoyens à la démocratie s'exprime désormais dans le monde entier. Elle a d'abord fait craquer les régimes les plus empesés, les plus rigides : dictatures latino-américaines, communismes de l'Est, autocraties africaines, etc. Elle n'épargne pas les démocraties occidentales, qui découvrent soudain un véritable découplage entre les institutions existantes et les préoccupations concrètes des citoyens.

L'ambition principale de la démocratie est de lutter contre la pauvreté, l'injustice et l'iniquité. De dénoncer inlassablement le cercle des faussaires. Quand elle faillit dans ces luttes, la démocratie est alors contestée par les citoyens, au nom d'un sentiment politique profondément enraciné dans le projet républicain : l'aspiration à l'égalité de droits et de devoirs.

Les citoyens sentent, confusément, que de nouveaux droits de l'homme sont à conquérir. Qu'à la génération des droits politiques

(XVIIIe siècle) puis des droits sociaux (XIXe et XXe siècles) doit succéder une génération de droits nouveaux, écologiques, garantissant aux citoyens le droit à l'information, à la paix, à la sécurité mais aussi à la pureté de l'air et de l'eau, et à la protection de l'environnement.

Ce thème de l'environnement, jadis perçu comme une question à part, est de plus en plus appréhendé comme transversal à tous les domaines. La protection de l'environnement s'impose comme un impératif commun à l'ensemble des sociétés. La conviction que la planète est en danger apparaît comme l'un des plus importants acquis politiques de cette fin de siècle. Plutôt que penser le monde en fonction de paramètres économiques, comme le veut le dogmatisme néolibéral, ne faudrait-il pas entreprendre de le reconstruire à partir de données écologiques? « L'idée que l'évaluation monétaire donne la mesure de la croissance et du développement apparaît désormais contestable, affirme Alexander King. L'énergie est le moteur de l'économie, et c'est le seul absolu ; l'argent n'en est que le substitut. »

Or, la consommation d'énergie est extrêmement inégale. Selon un rapport du World Resources Institute, les sept pays les plus développés de l'OCDE ont consommé, en 1995, 43 % de la production mondiale des combustibles possibles et une grande partie des produits dérivés de la forêt. Un tel chiffre rend littéralement absurde l'idée d'aligner l'ensemble de la planète sur les normes de consommation des nantis. Toutes les ressources de la planète n'y suffiraient pas. C'est pourquoi, depuis la Conférence de Rio de plus en plus de responsables politiques prennent conscience que l'ancien affrontement Est-Ouest n'est rien, comparé à ce que serait un prochain affrontement Nord-Sud qui peut se précipiter si rien n'est fait, vite, en matière d'environnement.

Pour la première fois, le débat sur le changement climatique a gagné la haute politique ; et l'homme occidental doit admettre que le progrès technique et industriel ne se traduit pas forcément par un surplus de bonheur. Le seuil faustien semble atteint. Passé ce pont, les fantômes viendraient à notre rencontre. « Il nous faut abandonner l'idée que la croissance techno-industrielle n'apporte que des bienfaits, affirme Edgar Morin. Nos sociétés croyaient progresser sur une autoroute historique vers un futur heureux. Aujourd'hui, il faut modifier la route, il faut enrichir et complexifier la notion de développement. De toute façon, on a perdu le futur garanti, non seulement là où régnait le communisme, mais partout. »

À la société de gaspillage doit succéder natu-

rellement une société du partage. Après des
années d'euphorie financière, de désinvolture
et de supercheries, les citoyens ressentent un
fort désir de retour à des activités vertueuses :
l'éthique, le travail bien fait, le sentiment de la
valeur du temps, la compétence, l'excellence,
l'honnêteté... Confusément, chacun perçoit
que c'est la seule voie permettant de préserver
la planète, d'épargner la nature, et de sauver
l'homme. Peut-on reconstruire le monde autrement ?

# LA NÉOHÉGÉMONIE AMÉRICAINE

Ce siècle aura été décidément américain. Dès les années 1900, les États-Unis proposaient au monde deux grands mythes modernes, deux grandes espérances universelles : le Père Noël pour les enfants, et le 1er Mai pour les travailleurs. Rêve et conviction comme emblèmes et projets d'un pays neuf.

Mais l'Amérique produira aussi, d'emblée, quelques-unes des innovations majeures qui ont fasciné la planète : automobile, téléphone, ampoule électrique, cinéma (le kinétoscope d'Edison, en 1891), gratte-ciel, autoroute, avion, machine à écrire, réfrigérateur, rasoir électrique, cigarettes, chewing-gum, etc. Puis viendront les déferlements de la culture de masse (presse à grand tirage, Hollywood, bande dessinée, photographie, jazz, feuilletons radio, dessins animés, télévision, rock, parcs de loisirs, rap, etc.) et de la consommation de masse (publicité, grands magasins, supermarchés, centres commerciaux, marketing, vente par correspondance, *pay per view*, etc.).

Après la décisive intervention militaire des États-Unis, au cours de la Grande Guerre de 1914-1918, en faveur des puissances démocratiques (France, Angleterre), on commence à parler, en Europe, de « modèle américain ». L'Amérique n'est pas encore la première puissance du monde (elle ne le deviendra, avec l'URSS, qu'après 1945) ; pour l'heure, c'est encore la Grande-Bretagne et son immense empire colonial qui dominent la Terre. Mais, déjà, le modèle de vie américain séduit et, sur les écrans de cinéma de partout, ses films l'imposent. Son modèle de société aussi fascine : l'Amérique est, par définition, le « pays de la liberté », du « melting-pot », du bon niveau de vie, de la réussite, ouvert aux persécutés d'Europe centrale et aux immigrants du monde.

Alors que s'achève la guerre, en 1917, le Vieux Continent contemple ainsi deux « mondes nouveaux » émerger sur ses deux horizons : à l'Est, la promesse d'un « avenir radieux » pour tous les travailleurs qu'offre l'Union soviétique ; à l'Ouest, l'Amérique et ses espérances fondées sur le capitalisme et la libre entreprise. En grande partie, ces deux options (à caractère universel) vont s'affronter dans tous les continents pour constituer le grand débat du siècle.

À cet égard, après la crise économique de 1929, les années trente constituent peut-être le moment de plus grave intensité avec l'essor d'une «troisième voie», le fascisme. Le président Roosevelt impulse l'Amérique grâce à ses réformes keynésiennes; Staline procède à marches forcées à la «construction du socialisme»; Hitler redresse de manière spectaculaire l'Allemagne. Les trois voies s'affrontent militairement au cours de la guerre d'Espagne (1936-1939) où le fascisme l'emporte. Mais les antifascistes, pour une fois alliés, prennent une revanche d'une tout autre portée à l'issue de la seconde guerre mondiale.

Alors commence la guerre froide, cette sourde lutte d'influence entre les États-Unis et l'Union soviétique pour imposer leur modèle à la Terre entière. Les Soviétiques, dans l'immense zone qu'ils contrôlent, procèdent à des purges massives et soutiennent, en Europe de l'Est et en Afrique, des régimes autoritaires. Pour l'Amérique c'est également, à moindre échelle, le temps du maccarthysme, de la «chasse aux sorcières», et du soutien, en Amérique latine et en Asie, à des dictatures militaires.

Les années cinquante, malgré la guerre de Corée, sont celles de l'apothéose d'un certain style de vie à l'américaine; c'est l'époque de James Dean et de Marilyn Monroe, d'Elvis Pres-

ley et des Platters, du rock, des jeans et du slow ;
tout cela va marquer culturellement plusieurs
générations de jeunes Occidentaux. L'Amérique, définitivement, pour le meilleur ou pour
le pire, c'est la modernité. Avec l'assassinat du
président John Kennedy, de son frère Robert,
de Malcolm X, de Martin Luther King, avec
l'explosion des ghettos urbains, avec le Water-
gate, le rêve en quelque sorte se brise. Et le
réveil est brutal. À la crise de Cuba succèdent
les interventions militaires (toujours antidémo-
cratiques) en Amérique centrale ou dans les
Caraïbes ; au Proche-Orient (toujours en faveur
d'Israël) ; et surtout la guerre du Vietnam et ses
atrocités qui dureront jusqu'en 1975.

La chute de Saigon marque la fin d'un temps.
Celui de la suprématie d'une Amérique blanche,
sûre d'elle-même et dominatrice.

Les problèmes intérieurs, qui n'avaient jamais
cessé, prennent, surtout après la fièvre liber-
taire des années 1968, des dimensions déchi-
rantes, en particulier la question des minorités,
des Noirs prioritairement. La violence et la
drogue ravagent les grandes villes dont l'équilibre démographique se modifie. Les Blancs
partent le plus souvent vers des banlieues éloi-
gnées, confortables et sûres, tandis que le centre
des agglomérations est abandonné aux Noirs et
aux Hispaniques.

Dans les années soixante-dix et quatre-vingt, si l'Amérique domine encore l'Occident par sa puissance économique et militaire, elle cesse, aux yeux du plus grand nombre, en Europe, de constituer un modèle de société à imiter. Nul ne veut vivre comme les Américains, stressés par le travail, effrayés par la violence, angoissés par l'avenir. Une Amérique que l'on perçoit globalement en crise, aussi bien idéologique qu'économique et même technologique et culturelle. Le Japon et l'Allemagne apparaissent, de nouveau, comme ses grands rivaux au sein du camp occidental. Quant à l'URSS…

La chute du mur de Berlin, le 9 novembre 1989, allait changer définitivement la donne géostratégique. L'implosion de l'Union soviétique, en décembre 1991, survenait après la victoire militaire américaine dans la guerre du Golfe. Pour la première fois sans rival, les États-Unis dominaient enfin le monde.

Et pourtant, leur société éprouvait plus de malaises et de déchirements que jamais. Comme une sorte de symbole, ou de mauvais présage, l'éditeur de *Superman Comics* annonçait, le 18 novembre 1992, deux semaines après l'élection de William Clinton, que le plus célèbre et le plus emblématique des héros américains, Superman, mourrait au cours d'une ultime aventure. L'Amérique sans Superman, était-ce

avouer que ce super-héros devenait surdimen-
sionné pour un pays sur lequel planait le spectre
du déclin ?

La situation de ce grand pays semblait, au
début des années quatre-vingt-dix, paradoxale.
On évoquait son apparent affaiblissement alors
qu'il venait de sortir vainqueur, par KO absolu,
de l'affrontement avec l'Union soviétique. Il
s'imposait par ailleurs sur la scène internationale comme l'unique superpuissance, et avait
pu faire étalage, notamment lors de la guerre
du Golfe, d'une suprématie militaire écrasante
et impressionnante.

Ces deux victoires avaient permis à Washington de rêver un instant d'un nouvel ordre
mondial répondant à la fois à ses ambitions
stratégiques et à ses objectifs historiques. De
fait, la diplomatie américaine avait déployé une
très efficace activité pour favoriser le règlement
de la plupart des grandes crises régionales, en
particulier les guerres de faible intensité ayant
marqué les années quatre-vingt : Afghanistan,
Angola, Salvador, Nicaragua, Cambodge. Même
sur le dossier le plus complexe, celui du Proche-
Orient, Washington avait réussi à débloquer les
choses et avait pu enclencher, lors de la conférence de Madrid, en 1991, des négociations de
paix entre Arabes et Israéliens.

Tout sembla, un temps, sourire à la diplomatie américaine, et les triomphantes tournées de James Baker, alors secrétaire d'État, dans les pays Baltes, les Balkans ou le Caucase laissaient des traînées d'indépendance, accompagnées de manifestations massives d'adhésion à l'économie de marché et au modèle libéral américain.

Les difficultés sont alors apparues. Lorsque les États-Unis ne surent (ne purent) réinventer un grand projet, de type plan Marshall, pour venir en aide d'abord à Mikhaïl Gorbatchev puis à une ex-Union soviétique en décomposition, et dont les chefs des nouveaux États indépendants — et en premier lieu le nouveau président russe, Boris Eltsine — réclamaient à cor et à cri un soutien financier massif. Les États-Unis découvraient ainsi qu'ils n'avaient plus les moyens économiques de leur diplomatie. Ils avaient déjà constaté, lors de la guerre du Golfe, qu'ils n'avaient pas davantage les moyens de leur ambition militaire, et ils avaient dû faire financer le conflit par leurs principaux partenaires.

Le montant de l'aide américaine aux anciennes «démocraties populaires» et aux nouveaux États nés de la dislocation de l'URSS a été négligeable, tout comme le montant des investissements financiers dans ces pays. Au point que l'exaltation de la victoire et l'espoir d'un nouvel ordre s'estompèrent devant la rapide dégradation économique des pays de l'Est. Cette dégradation et l'appauvrissement général de ces sociétés favorisèrent l'apparition de multiples foyers d'instabilité, puissamment stimulés par la renaissance des nationalismes ethniques débouchant çà et là (Balkans, Caucase) sur des guerres ouvertes de longue durée.

D'autre part, l'effondrement du communisme, qui aurait dû supprimer le danger nucléaire, en est venu à rendre celui-ci plus insidieux. Washington craignant une double prolifération atomique : celle provenant de la dispersion de l'arme nucléaire ; et celle que pourrait engendrer, à la longue, la dispersion des spécialistes soviétiques de l'atome dans des pays « du seuil », c'est-à-dire ceux sur le point de se doter de l'engin nucléaire…

Le bilan de la politique étrangère apparaissait donc beaucoup plus contrasté qu'on ne l'aurait imaginé lors des grandes journées d'euphorie de cette année prodigieuse que fut 1989. Même au sein des Nations unies, le rôle central de Washington, qui semblait reconfirmé après la guerre du Golfe, était à nouveau contesté, notamment par l'aspiration d'autres États à occuper un siège de membre permanent au Conseil de sécurité. En particulier, par les grands rivaux économiques des États-Unis — Japon et Allemagne —, ainsi que par les géants démographiques du Sud : Inde, Brésil, Mexique et Nigeria.

De surcroît, de vieux dossiers continuaient de ne point trouver de solution : en particulier, le différend opposant les États-Unis à la Libye et surtout, plus important en raison des implications internes, le conflit avec Cuba, Fidel Castro ayant réussi à éviter jusqu'à présent l'effondrement de son régime malgré les manœuvres et les pressions de Washington.

Si fortement agitée à l'extérieur, cette période 1988-1992 a coïncidé, à l'intérieur, avec un autre grand effondrement, celui du rêve néolibéral de l'argent facile et de l'enrichissement sans effort. Le pays avait vécu au-dessus de ses moyens et devait payer les folies financières des années quatre-vingt.

L'ère ouverte par Ronald Reagan et caractérisée par la déréglementation et les *golden boys* se terminait de manière affligeante. La plupart des grands héros de la Bourse, ceux dont l'enrichissement foudroyant émerveillait le monde et semblait montrer l'efficacité du capitalisme flamboyant — les Ivan Boesky, Michael Milken, Martin Siegel, Dennis Levine, John Gutfreund — se sont révélés être des imposteurs et ont souvent fini en prison.

Leur fureur spéculative et celle de leurs

émules avaient fini par mettre en péril non seulement le système boursier américain (*cf.* le krach d'octobre 1987), mais le système financier international.

Le bilan économique du président George Bush est fort mauvais, et il faut sans doute remonter à la présidence de Herbert Hoover, dans les années trente, pour trouver un résultat aussi médiocre.

Le déficit fédéral s'élevait, à la fin 1992, à 333 milliards de dollars, à tel point que le gouvernement ne pouvait plus stimuler l'économie. La plupart des États étaient en déficit, le déficit de la ville de New York s'élevait à 3 milliards de dollars, et même la Californie, naguère si prospère, était en crise.

Chaque ménage américain payait environ 2 000 dollars d'impôts par an uniquement pour rémunérer les porteurs de bons du Trésor. «Il a fallu deux cents ans pour que la dette publique atteigne 1 000 milliards de dollars, et douze ans seulement pour la porter à 4 000 milliards», constatait alors Felix Rohatyn, devenu conseiller économique de William Clinton.

Tout cela s'est traduit par un délabrement généralisé des infrastructures publiques. En application rigoureuse des thèses néolibérales, des pans entiers des services de santé ou de l'éducation, par exemple, ont été démantelés.

Le nombre de pauvres s'élevait, en 1991, à 35,7 millions, chiffre le plus élevé depuis 1964 ; les Noirs et les Hispaniques avaient des taux de pauvreté largement supérieurs à celui des Blancs (32,7 % et 28,7 % respectivement contre 11,3 %), ce qui avivait les tensions raciales, les faisant parfois exploser dans la violence comme à Los Angeles en mai 1992.

En même temps, les entreprises, sous prétexte d'améliorer leur compétitivité, taillaient dans leurs effectifs. Ainsi, IBM, « qui ne licenciait jamais », se séparait de plus de 40 000 salariés, et, chaque jour, de grands groupes pétroliers ou de l'automobile annonçaient des suppressions d'emplois par milliers. Le pays plongeait dans la récession, et la croissance restait trop faible pour tirer l'emploi.

Dans ce sombre contexte, la défiance à l'égard des hommes politiques expliquait, en partie, le succès relatif du troisième candidat à la présidence, Ross Perot, et de son discours populiste hostile à la classe « politico-médiatique ».

Pour la première fois, les Américains n'étaient pas sûrs de pouvoir offrir à leurs enfants une vie meilleure que la leur. Beaucoup plaçaient leurs espoirs dans les perspectives qu'offre l'Accord de libre-échange nord-américain (ALÉNA), signé le 7 octobre 1992, créant une union commerciale dont le produit national brut (PNB) est de 18 % supérieur à celui de l'Union européenne.

Le seul domaine où elle continuait de régner sans partage était celui des industries de l'imaginaire : films, téléfilms, musiques, modes, continuant de surprendre le monde par leur force expressive et communicative. Mais, contrairement aux années cinquante, la diffusion de cette culture de masse ne se traduisait pas par l'exportation de produits industriels ou d'objets. Au début des années quatre-vingt-dix, même l'américanisation du monde avait cessé d'être du seul ressort de l'Amérique.

Au point que, lors de l'élection de 1992, les citoyens votèrent contre le vainqueur de la guerre du Golfe, George Bush, auquel ils reprocheront d'avoir perdu la bataille intérieure, celle du chômage, de l'emploi, de la discrimination, des villes délabrées, de l'insécurité et des mille inégalités.

En choisissant William Clinton, démocrate, et son programme de progrès social modéré, les Américains avaient fixé leur priorité : le redressement intérieur.

En 1997, après la nouvelle victoire de Clinton à l'élection du 5 novembre 1996, qu'en est-il ?

Il est des périodes dans l'histoire du monde où l'hégémonie d'un État, en raison de la défaite ou de la décomposition de ses principaux rivaux, s'exerce soudain sans partage sur toute l'étendue de la planète. Tour à tour, depuis le XVIᵉ siècle, trois puissances — l'Espagne, la France et l'Angleterre — ont dominé militairement, économiquement et, en partie, culturellement la Terre.

L'Empire britannique n'a connu son véritable essor qu'après la déroute napoléonienne de Waterloo (1815), et sa domination ne s'est achevée qu'avec la montée des ambitions allemandes, cause de la première et de la seconde guerre mondiale. Ces deux conflits ont épuisé le Vieux Continent et vu l'entrée, sur la scène des relations internationales, de l'acteur politique majeur du XXᵉ siècle : les États-Unis d'Amérique. Après 1945, ceux-ci établirent avec l'Union soviétique — l'autre superpuissance du moment — une sorte de condominium mondial caractérisé par une furieuse rivalité qu'on appellera la guerre froide.

Cette confrontation, on le sait, s'est achevée par l'implosion de l'Union soviétique en 1991. À l'échelle internationale, les États-Unis se retrouvent donc placés dans une situation de suprématie que nulle puissance n'a connue depuis plus d'un siècle. Désormais, constate Paul-Marie de La Gorce, « l'empire américain est le seul au monde, c'est une hégémonie exclusive, et c'est la première fois que ce phénomène étrange survient dans l'histoire de l'humanité ».

Certes, dans le monde contemporain, la prépondérance d'un empire ne se mesure plus à la seule emprise géographique. Outre de formidables attributs militaires, elle résulte essentiellement de la suprématie dans le contrôle des réseaux économiques, des flux financiers, des innovations technologiques, des échanges commerciaux, des extensions et des projections (matérielles et immatérielles) de tous ordres. À cet égard, nul ne domine autant la Terre, ses océans et son espace environnant que les États-Unis.

Consciente de ses atouts retrouvés, dopée par une économie flamboyante, l'Amérique reprend ses prétentions à vouloir régenter la politique internationale. Sur le front des affaires étrangères, la primauté des États-Unis a été confirmée notamment après le rôle de sa diplomatie dans des dossiers extrêmement délicats comme ceux des négociations de paix au Proche-Orient et en Bosnie.

L'Amérique a rétabli la légitimité démocratique en Haïti ; riposté aux intimidations de la Corée du Nord ; réaffirmé sa vigueur militaire dans le détroit de Formose quand la Chine a paru menacer Taïwan ; imposé, par les accords de Dayton, un règlement au conflit de Bosnie et garanti la paix sur le terrain grâce à la présence de ses troupes; encouragé l'intervention militaire de l'OTAN au Kosovo en mars 1999; assuré, cahin-caha, la poursuite des négociations pour un règlement pacifique du conflit israélo-palestinien; permis, au Congo-Zaïre, en mai 1997, aux forces de Laurent-Désiré Kabila de renverser le régime corrompu et despotique du maréchal Mobutu; et, enfin, obligé la Russie à signer un accord avec l'OTAN qui permet l'élargissement à l'Est de l'alliance militaire occidentale.

Ici et là, on réclame la médiation américaine pour sortir d'une situation politique bloquée. Par exemple : en Serbie, l'opposition qui, durant l'hiver 1996-1997, protestait contre Milosevic; et même en Algérie, comme l'a demandé Hocine Aït Ahmed, chef du Front des forces socialistes (FFS), pour «faire cesser la spirale de la violence».

Au point que les États-Unis ont de plus en plus tendance à agir sur l'échiquier planétaire (en particulier, en Afrique noire) en fonction de leurs propres critères et pour servir leurs intérêts, sans trop se soucier de l'avis d'instances internationales comme l'Organisation des Nations unies (ONU). C'est pourquoi, souverainement, ils imposent des sanctions économiques à Cuba, à la Libye ou à l'Iran; se sont

opposés à la reconduction au poste de secrétaire général de l'ONU de Boutros-Ghali. Et ont
rejeté fermement («C'est clair, c'est catégo-
rique, ce n'est vraiment pas négociable», a répli-
qué William Cohen, ministre de la Défense) la
légitime demande de la France de voir le commandement sud de l'OTAN attribué à un offi-
cier européen. Dans leur nouvelle propension à
l'hégémonie, les États-Unis en arrivent même,
dans le cas de la loi Helms-Burton qui renforce
l'embargo contre Cuba, à réclamer que la législation américaine ait une application extraterri-
toriale.

Mais les victoires principales, aux yeux de
Clinton, sont celles qu'a remportées Washington sur le terrain économique. Sur ce front, les
bonnes nouvelles, à l'aune des critères libéraux,
s'accumulent : quatre années de croissance
ininterrompue ; plus de dix millions d'emplois
créés ; taux officiel de chômage, l'un des plus
faibles du monde, inférieur à 5,3 % de la population active. L'inflation est contenue en dessous de 3 % ; les taux d'intérêt restent en
dessous de 7 % ; le dollar longtemps maintenu
assez bas pour favoriser l'essor des exportations
redevient, depuis février 1997, une monnaie
forte ; enfin, le déficit budgétaire a été réduit et
il est question désormais d'excédent budgétaire.

D'autres victoires significatives au plan international : accords du GATT et création de l'Organisation mondiale du commerce (OMC) qui consacre le triomphe du libre-échange ; et Accord de libre-échange nord-américain (ALÉNA) avec le Mexique et le Canada qui crée un marché de 400 millions de consommateurs. Pour le reste, la méfiance à l'égard des grandes organisations internationales — à commencer par l'ONU — s'est accentuée, et les contributions financières se sont réduites (le budget d'aide à l'Afrique a été rogné de 35 %). En revanche, tous les efforts sont conduits pour intensifier le commerce des armes dont les États-Unis demeurent le premier exportateur mondial.

C'est que le commerce et l'économie en général restent au premier rang des priorités nationales de cette superpuissance dont l'exportation de biens et de services représente, depuis 1987, un tiers de la croissance économique. La secrétaire d'État, Madeleine Albright, n'a-t-elle pas affirmé : «L'un des objectifs majeurs de notre gouvernement est de s'assurer que les intérêts économiques des États-Unis pourront être étendus à l'échelle planétaire. »

Quant aux apparentes victoires sur le champ intérieur, elles masquent un considérable revirement de Clinton qui, sitôt élu en 1992, a

abandonné son programme social pour s'incliner devant les consignes de « Maître marché ».
Et ce avec d'autant plus de force que, dès 1994, la victoire aux législatives des Républicains l'a contraint à la surenchère sur le terrain (fort conservateur) de ceux-ci. Durant la campagne de 1996, le candidat Clinton, reniant ses préceptes keynésiens, n'a cessé d'affirmer que l'« ère de l'État interventionniste est révolue ». Même si cela aggrave des inégalités déjà criantes. 41 millions de citoyens ne disposent d'aucune couverture médicale ; un véritable apartheid urbain s'installe avec des ghettos abandonnés aux pauvres et à la violence, et des quartiers de riches protégés par des murailles et des vigiles.

Quant aux emplois créés par millions, qui désespèrent la Bourse, ce sont en fait des postes précaires, n'offrant nulle protection sociale, et si mal payés qu'on estime qu'un salarié doit en cumuler deux ou trois pour retrouver un pouvoir d'achat semblable à celui des années quatre-vingt. Les classes moyennes sont laminées ; et de plus en plus tentées par le discours des groupes néoconservateurs.

Dans ce paysage contrasté, l'essor spectaculaire des nouvelles technologies fascine. L'ère Clinton coïncide avec la formidable domination dans les domaines aéronautique, informatique, réseaux télématiques, etc. Sans parler du colossal potentiel des fonds de pension américains qui constituent la principale force de frappe des marchés financiers.

Mais il y a surtout l'apothéose d'Internet et le mythe de la nouvelle frontière à laquelle conduisent les « autoroutes de l'information ». De nouveaux empires s'édifient sur les fondations de l'univers informatique qu'espère totalement contrôler Bill Gates, le patron de Microsoft, en s'appuyant sur la puissance de son entreprise géante. La bataille économique la plus spectaculaire se livre dans le champ des médias et des nouveaux médias, bouleversés par l'irruption du numérique, du virtuel et du multimédia. De formidables concentrations s'y produisent.

Partout, ce nouveau modèle constitué d'État réduit, de précarité sociale et de dynamisme communicationnel se répand. Il apparaît aux yeux de nombreux dirigeants, notamment européens, comme la grande réponse aux défis contemporains.

Nulle autre puissance, à l'heure actuelle, ne peut rivaliser avec l'Amérique ou s'opposer à ses offensives économiques. Est-ce une raison pour imposer au monde sa loi ?

# RÉGIMES GLOBALITAIRES

Autour de soi, chacun sent bien que l'alibi de la modernité sert à tout faire ployer sous l'implacable niveau d'une stérile uniformité. Un pareil style de vie s'impose d'un bout à l'autre de la planète, répandu par les médias et prescrit par le matraquage de la culture de masse. De La Paz à Ouagadougou, de Kyoto à Saint-Pétersbourg, d'Oran à Amsterdam, mêmes films, mêmes séries télévisées, mêmes informations, mêmes chansons, mêmes slogans publicitaires, mêmes objets, mêmes vêtements, mêmes voitures, même urbanisme, même architecture, même type d'appartements souvent meublés et décorés d'identique manière… Dans les quartiers aisés des grandes villes du monde, l'agrément de la diversité cède le pas devant la foudroyante offensive de la standardisation, de l'homogénéisation, de l'uniformisation. Partout triomphe la *world culture*, la culture globale.

La vitesse a fait exploser la plupart des activités humaines et singulièrement celles liées aux transports et à la communication. Instantanéité, omnivision et ubiquité, naguère super-pouvoirs des divinités de l'Olympe, appartiennent désormais à l'être humain. Dans l'histoire de l'humanité, jamais des pratiques propres à une culture ne s'étaient imposées comme modèles universels aussi rapidement. Modèles qui sont aussi politiques et économiques ; la démocratie parlementaire et l'économie de marché, admises désormais presque partout comme attitudes « rationnelles », « naturelles », participent, de fait, à l'occidentalisation du monde.

Est-il étonnant que, en réaction à ce nivellement, se multiplient les sursauts identitaires et les crispations traditionalistes ? Partout, intégrismes et fondamentalismes rejettent une conception abstraite de la modernité réclamant un enracinement dans le texte fondateur ; les nationalismes resurgissent, exaltant les passions autour de quelques traits culturels fétichisés. Mais que peuvent ces réactions (parfois obscurantistes, passéistes, archaïques) contre la puissance d'un mouvement que stimule très fortement la mondialisation de l'économie ?

Cette mondialisation a été accentuée par l'accélération des échanges commerciaux entre nations après la signature, en 1947, de l'Accord général sur les tarifs douaniers et le commerce

(GATT). La rapidité des communications et leur coût de plus en plus réduit, depuis le début des années quatre-vingt, ont fait exploser ces échanges et ont multiplié de manière exponentielle les flux commerciaux et financiers. Des firmes de plus en plus nombreuses se projettent à l'extérieur de leur pays d'origine et développent des ramifications tous azimuts ; l'investissement direct à l'étranger s'accroît massivement augmentant trois fois plus vite que le commerce mondial. La vitesse de la mondialisation est d'autant plus rapide que les flux sont de moins en moins matériels et concernent chaque fois davantage des services, des données informatiques, des télécommunications, des messages audiovisuels, du courrier électronique, des consultations sur Internet, etc.

Toutefois, l'interpénétration des marchés industriels, commerciaux et financiers pose de graves problèmes de nature politique. De nombreux gouvernements, confrontés à la récession, en viennent à s'interroger sur les bienfaits de cette économie globale dont ils tentent, par ailleurs, de comprendre la véritable logique.

Les années soixante-dix avaient connu l'expansion des entreprises multinationales comparées alors à des pieuvres, possédant de multiples extensions mais dépendant toutes d'un même centre, géographiquement localisé, où s'élaborait la stratégie d'ensemble et d'où partaient les impulsions.

L'« entreprise globale » d'aujourd'hui n'a plus de centre, elle est un organisme sans corps et sans cœur, elle n'est qu'un réseau constitué de différents éléments complémentaires, éparpillés à travers la planète et qui s'articulent les uns aux autres selon une pure rationalité économique, obéissant à deux maîtres mots : rentabilité et productivité. Ainsi, une entreprise française peut emprunter en Suisse, installer ses centres de recherche en Allemagne, acheter ses machines en Corée du Sud, baser ses usines en Chine, élaborer sa campagne de marketing et de publicité en Italie, vendre aux États-Unis et avoir des sociétés à capitaux mixtes en Pologne, au Maroc et au Mexique.

Non seulement la nationalité de la firme se dissout dans cette folle dispersion mais aussi, parfois, sa propre personnalité. Le professeur américain Robert Reich, ex-secrétaire d'État au Travail dans le premier gouvernement de William Clinton, cite le cas de l'entreprise japonaise Mazda qui, depuis 1991, « produit des Ford Probe dans l'usine Mazda de Flat Rock, dans le Michigan. Certaines de ces voitures sont exportées au Japon et vendues sous la marque Ford. Un véhicule utilitaire Mazda est fabriqué dans l'usine Ford de Louisville, Kentucky, et ensuite vendu dans les magasins Mazda aux États-Unis. Nissan, pendant ce temps, conçoit un nouveau camion léger à San Diego, Californie. Les camions seront montés dans une usine Ford dans l'Ohio, avec des pièces détachées fabriquées par Nissan dans son usine du Tennessee, et ensuite commercialisés par Ford et Nissan aux États-Unis et au Japon ». Et Robert Reich de se demander : « Qui est Ford ? Nissan ? Mazda ? »

Les salariés des pays d'origine de la firme sont intégrés malgré eux dans le marché international du travail. Le nivellement se faisant par le bas ; les faibles salaires et la moindre protection sociale l'emportent. Les mises en garde du Bureau international du travail (BIT) n'y peuvent rien. L'entreprise globale recherche, par les délocalisations et l'augmentation incessante de la productivité, le profit maximal ; cette obsession la conduit à produire là où les coûts salariaux sont les plus faibles et à vendre là où les niveaux de vie sont les plus élevés. Au Sud, les délocalisations d'usines visent à exploiter et à tirer profit d'une main-d'œuvre très bon marché. Au Nord, automatisation, robotisation et nouvelle organisation du travail entraînent des licenciements massifs (*downsizing*) qui traumatisent profondément les sociétés démocratiques développées, d'autant que la destruction de millions d'emplois n'est point compensée par des créations dans d'autres secteurs.

Ces entreprises, loin d'être mondiales, sont en fait « triadiques », c'est-à-dire qu'elles interviennent essentiellement dans les trois pôles dominant l'économie du monde : Amérique du Nord, Europe occidentale et zone Asie-Pacifique. L'économie globale provoque ainsi, paradoxalement, une cassure de la planète entre ces trois pôles de plus en plus intégrés et le reste des pays (en particulier, l'Afrique noire) de plus en plus pauvres, marginalisés, exclus du commerce mondial et de la modernisation technologique.

Parfois, les investissements spéculatifs se concentrent sur un « marché émergent » du Sud parce que la Bourse locale offre des perspectives de gains faciles et importants, et parce que les autorités promettent aux capitaux flottants des taux d'intérêt fort alléchants. Mais cela ne garantit nullement un quelconque décollage économique. Car plus rapidement qu'ils sont venus, les capitaux peuvent s'enfuir. D'une seconde à l'autre. Comme le Mexique en fit l'amère expérience en 1994.

Le Mexique n'a échappé à la faillite totale que grâce à l'octroi d'une aide internationale massive de plus de 50 milliards de dollars (dont 20 milliards par les États-Unis) ; l'aide la plus importante jamais accordée à un pays. Si importante qu'on se demande si elle cherchait à sauver le Mexique (dont le pétrole passait sous le contrôle des États-Unis qui prenaient ainsi une revanche sur le président Lazaro Cardenas, lequel, en 1938, avait nationalisé les compagnies pétrolières américaines...), ou si elle visait plutôt à sauver le système financier international.

Car on n'a pas assisté au même empressement s'agissant d'autres situations d'urgence. Par exemple, au Rwanda, ravagé pourtant par un génocide. Pratiquement aucun prêt, non plus, à la Russie, qui n'a effectivement reçu, depuis 1990, que 3 milliards de dollars d'aide directe quand ses besoins sont gigantesques. Enfin, nulle aide à Gaza-Cisjordanie, ou à peine quelques dizaines de millions alors qu'il en faudrait des centaines pour réduire les tensions et tenir enfin les promesses des accords d'Oslo.

À quel degré d'absurdité est parvenu le système financier international ? Il obéit, désormais, au chacun pour soi. Nul n'arbitre un jeu que nulle règle n'organise, hormis celle de la recherche du profit maximal. Aux yeux de tous, cette crise aura révélé qui sont les nouveaux maîtres de la géofinance : les gestionnaires des fonds de pension et des fonds communs de placement. Ce sont eux que, en langage expert, la presse économique appelle : «les marchés».

On connaissait l'importance astronomique des sommes mobilisées par ces gestionnaires (les seuls fonds de pension américains représentent 6 000 milliards de dollars...), et on prévoyait que leur déplacement brutal provoquerait un jour des dégâts importants. Le Mexique, le premier, en a éprouvé le choc. Il y a laissé une part de sa souveraineté nationale.

Tout comme les grandes banques dictèrent, au xixe siècle, leur attitude à de nombreux pays, ou comme les entreprises multinationales le firent entre les années soixante et quatre-vingt, les fonds privés des marchés financiers tiennent désormais en leur pouvoir le destin de beaucoup de pays. Et, dans une certaine mesure, le sort économique du monde. Qu'ils cessent d'avoir confiance demain en la Chine (où les investissements étrangers directs ont atteint, en 1994, 32 milliards de dollars), et, tels des dominos, les pays les plus exposés (Hongrie, Argentine, Brésil, Turquie, Thaïlande, Indonésie...) verraient les capitaux se retirer sous le coup de la panique, provoquant leur faillite et la faillite du système.

La chute de la banque britannique Barings, en 1995, a confirmé d'ailleurs que, contrairement au mythe colporté par la pensée unique, les « marchés ouverts » ne fonctionnent pas à la perfection et le capital privé n'a pas le monopole de la sagesse. Réputés « infaillibles », les marchés se sont encore lourdement trompés. Et — grâce à l'aide apportée par les États sur fonds publics — ils n'ont pas été sanctionnés ; ce qui constitue une entorse au dogme libéral, que les libéraux se sont bien gardés de dénoncer tant il est vrai qu'une autre règle d'or non proclamée s'est une fois de plus vérifiée : au capital les rendements les plus fabuleux, et à la collectivité les pertes.

Dans une économie globale, ni le capital, ni le travail, ni les matières premières ne constituent, en soi, le facteur économique déterminant. L'important c'est la relation optimale entre ces trois facteurs. Pour établir cette relation, la « firme globale » ne tient compte ni des frontières ni des réglementations, mais seulement de l'exploitation intelligente qu'elle peut faire de l'information, de l'organisation du travail et de la révolution de la gestion. Cela entraîne souvent une fracture des solidarités au sein d'un même pays : « L'ingénieur en logiciel américain, lié à son réseau mondial par des ordinateurs et des fax — écrit Robert Reich —, est plus dépendant d'ingénieurs de Kuala Lumpur, de fabricants de Taïwan, de banquiers de Tokyo et de Bonn, et de spécialistes des ventes et du marketing de Paris et de Milan que de travailleurs routiniers exerçant leur activité dans une usine située de l'autre côté de la ville. » On en arrive ainsi au divorce entre l'intérêt de l'entreprise et l'intérêt de la collectivité, entre la logique du marché et celle de la démocratie.

Les firmes globales ne se sentent, en la matière, nullement concernées ; elles sous-traitent et vendent dans le monde entier ; et revendiquent un caractère supranational qui leur permet d'agir avec une grande liberté puisqu'il n'existe pas, pour ainsi dire, d'institutions internationales à caractère politique, économique ou juridique en mesure de réglementer efficacement leur comportement.

Les grandes instances économiques — Fonds monétaire international, Banque mondiale — connaissent une crise structurelle. La globalisation de l'économie a déstabilisé ces organismes créés à la fin de la seconde guerre mondiale. Le GATT, obsédé par les droits de douane, ne maîtrisait plus les problèmes de concurrence et d'accès aux marchés, semblait frappé d'obsolescence après la fin de l'Uruguay Round, et a été remplacé, dès 1995, par l'Organisation mondiale du commerce (OMC).

Le système monétaire international, issu de la conférence de Bretton Woods (1944) et déjà mis à mal en 1971 par la décision unilatérale des États-Unis de suspendre la convertibilité du dollar en or, est désormais pris de vitesse par la mondialisation des marchés monétaires et financiers. Le « big bang » (informatisation) des Bourses et la déréglementation à grande échelle permettent aux flux de capitaux de se déplacer à la vitesse de la lumière, vingt-quatre heures sur vingt-quatre, stimulant une formidable spéculation financière.

Les transactions financières s'effectuent en continu, les opérateurs pouvant intervenir, en temps réel, sur les marchés de Tokyo, Londres ou New York. Le volume des transactions financières est dix fois supérieur à celui des échanges commerciaux. L'économie financière l'emporte, de loin, sur l'économie réelle. Le mouvement perpétuel des monnaies et des taux d'intérêt apparaît comme un facteur d'instabilité, d'autant plus dangereux qu'il est autonome et de plus en plus déconnecté du pouvoir politique.

Cette immense rupture économique, financière et politique que constitue la mondialisation de l'économie n'a pas encore été sérieusement analysée. Objet, depuis quelques années, de multiples travaux sectoriels, en particulier sur ses dimensions économiques, financières, technologiques et culturelles, la mondialisation a rarement été appréhendée dans sa globalité, en tant que basculement de civilisation. Elle constitue pourtant l'aboutissement ultime de l'économismc, dc « l'impensable en train de naître sous nos yeux » : l'homme « mondial », c'est-à-dire l'atome infra-humain, vidé de culture, de sens et de conscience de l'autre.

Tel est le résultat final prévisible, mais déjà fortement présent, de la combinaison des trois dynamiques qui convergent de manière explosive sur l'humanité de cette fin de siècle : la mondialisation de l'économie, ultime avatar de la modernité occidentale datant de l'expansion de l'Europe sur le monde au xvᵉ siècle ; la remise en cause de l'État providence et de l'État tout court, qui pourrait sonner le glas du politique et de la société ; la destruction généralisée des cultures, au Nord comme au Sud, par le rouleau compresseur de la communication, de la mercantilisation et de la technologie.

Les principaux fondements théoriques de cette vision à la fois consensuelle et désespérante empruntent au marxisme (mais en les retournant) certains de ses postulats : prétention naïve à la scientificité (le « cercle de la raison »), évocation eschatologique d'un « avenir radieux », et indifférence à l'égard de ses propres échecs.

Le plus grave, dans cette instrumentalisation idéologique de la mondialisation, c'est évidemment de condamner par avance — au nom du « réalisme » — toute velléité de résistance ou même de dissidence. Sont ainsi frappés d'opprobre ou définis comme « populistes » tous sursauts républicains, toutes recherches d'alternatives, toutes tentatives de régulation démocratique, toutes critiques du marché. La mondialisation n'est ni une fatalité incontournable, ni un « accident » de l'histoire. Elle constitue un grand défi à relever, une sauvagerie potentielle à réguler, c'est-à-dire, au bout du compte, à civiliser. C'est politiquement qu'il s'agit de résister à cette obscure dissolution de la politique elle-même dans la résignation ou la désespérance.

Ce n'est pas le moindre paradoxe de cette mondialisation que de dissimuler, derrière l'apparence d'une modernité postindustrielle et informatisée — la fascination Internet —, une évolution politiquement « réactionnaire » au sens strict de terme. C'est-à-dire un démantèlement progressif des conquêtes démocratiques, un abandon du contrat social européen, un retour — sous couvert d'« adaptation » et de « compétitivité » — au capitalisme primitif du xixe siècle.

On a la confirmation de cela chaque année, lorsque, au cœur de l'hiver, les principaux responsables de la planète — chefs d'État, banquiers, financiers, patrons des grandes entreprises transnationales — se retrouvent à Davos, petite ville suisse, pour faire le point sur les avancées de l'économie de marché, du libre-échange et de la déréglementation.

Rendez-vous des nouveaux maîtres du monde, le forum économique de Davos est devenu La Mecque de l'hyperlibéralisme, la capitale de la mondialisation et le foyer central de la pensée unique.

Dans leur grande majorité, les deux mille *global leaders* y confirment, rituellement, qu'il faut combattre l'inflation, réduire les déficits budgétaires, poursuivre une politique monétaire restrictive, encourager la flexibilité du travail, démanteler l'État providence et stimuler sans relâche le libre-échange. Ils vantent l'ouverture croissante des pays au commerce mondial; les efforts des gouvernements pour réduire les déficits, les dépenses et les impôts; applaudissent aux privatisations. Selon eux, il n'y a plus d'alternative politique ou économique; acquis au marché et dopé par Internet, le monde vit en quelque sorte la fin de l'histoire.

La compétition reste, à leurs yeux, la seule force motrice: «Qu'on soit un individu, une entreprise ou un pays — y a déclaré, par exemple, Helmut Maucher, patron de Nestlé —, l'important pour survivre dans ce monde, c'est d'être plus compétitif que son voisin.» Et malheur au gouvernement qui ne suivrait pas cette ligne:

« Les marchés le sanctionneraient immédiatement — a averti Hans Tietmeyer, président de
la Bundesbank — car les hommes politiques
sont désormais sous le contrôle des marchés
financiers. » Comme a pu le constater, à Davos,
en 1996, Marc Blondel, secrétaire général du
syndicat français Force ouvrière : « Les pouvoirs
publics ne sont, au mieux, qu'un sous-traitant
de l'entreprise. Le marché gouverne. Le gouvernement gère. »

Les accents triomphalistes ne manquent pas.
Pourtant, dès 1996, sur cet aréopage des élites
mondiales, on a senti planer le sentiment qu'une
période d'euphorie s'achevait. À cet égard, la
révolte des salariés français de décembre 1995 a
sans doute servi de tocsin. Car même ces *global
leaders* ne peuvent pas manquer de constater
que l'événement majeur de cette fin de siècle
est la paupérisation de l'Europe occidentale.

C'est une sacrée tache dans le tableau. Le
professeur Klaus Schwab, fondateur du Forum
de Davos, a lui-même formulé la première mise
en garde : « La mondialisation est entrée dans
une phase très critique. Le retour de bâton se
fait de plus en plus sentir. On peut craindre
qu'il ait un impact fort néfaste sur l'activité économique et la stabilité politique de nombreux
pays. »

D'autres experts ont fait un constat encore

plus pessimiste. Ainsi, Rosabeth Moss Kanter, ancienne directrice de la *Harvard Business Review* et auteur de l'ouvrage *The World Class*, a averti : « Il faut créer la confiance chez les salariés, et organiser la coopération entre les entreprises afin que les collectivités locales, les villes et les régions bénéficient de la mondialisation. Sinon nous assisterons à la résurgence de mouvements sociaux comme nous n'en avons jamais vu depuis la seconde guerre mondiale. » C'est également la grande crainte de Percy Barnevik, patron de Asea Brown Boveri (ABB), l'une des principales compagnies énergétiques du monde, qui a lancé ce cri d'alerte : « Si les entreprises ne relèvent pas les défis de la pauvreté et du chômage, les tensions vont s'accroître entre les possédants et les démunis, et il y aura une augmentation considérable du terrorisme et de la violence. »

Cette inquiétude se répand même dans les milieux les plus acquis au libéralisme. Le sénateur (démocrate) des États-Unis, Bill Bradley, a révélé que : « En raison de l'actuelle fureur compétitive, de la précarisation de l'emploi et de la baisse des salaires, les classes moyennes américaines vivent de plus en plus mal et doivent travailler de plus en plus pour maintenir leur niveau de vie. » C'est pourquoi l'hebdomadaire américain *Newsweek* n'a pas hésité, le

26 février 1996, à dénoncer le *killer capitalism* (le capitalisme tueur), clouant au pilori les douze grands patrons qui, ces dernières années, ont licencié à eux seuls plus de 363 000 salariés! «Il fut un temps où licencier en masse était une honte, une infamie. Aujourd'hui, plus les licenciés sont nombreux plus la Bourse est contente…», accuse ce journal qui, lui aussi, redoute un violent retour de bâton contre la mondialisation.

«La mondialisation est en train de créer, dans nos démocraties industrielles, une sorte de sous-classe de gens démoralisés et appauvris», affirme l'ex-ministre américain du Travail, Robert Reich. Il vient de réclamer que les entreprises ayant manqué à leur devoir civique en réduisant le nombre de leurs salariés soient sanctionnées par l'État, obligées de payer une taxe supplémentaire.

Le rôle de l'État, dans une économie globale, est inconfortable. Il ne contrôle plus les changes, ni les flux d'argent, d'informations, ou de marchandises et on continue, malgré tout, de le tenir pour responsable de la formation des citoyens et de l'ordre public intérieur, deux missions très dépendantes de la situation générale de l'économie… L'État n'est plus totalitaire, mais l'économie, à l'âge de la mondialisation, tend de plus en plus à le devenir.

On appelait naguère «régimes totalitaires» ces régimes à parti unique qui n'admettaient aucune opposition organisée, négligeaient les droits de la personne humaine au nom de la raison d'État, et dans lesquels le pouvoir politique dirigeait souverainement la totalité des activités de la société dominée.

À ces régimes, caractéristiques des années trente, succède, en cette fin de siècle, un autre type de totalitarisme, celui des «régimes globalitaires». Reposant sur les dogmes de la globalisation et de la pensée unique, ils n'admettent aucune autre politique économique, négligent les droits sociaux du citoyen au nom de la raison compétitive, et abandonnent aux marchés financiers la direction totale des activités de la société dominée.

Dans nos sociétés déboussolées, les gens n'ignorent pas la puissance de ce nouveau totalitarisme. Selon une récente enquête d'opinion, 64 % des personnes interrogées estimaient que «ce sont les marchés financiers qui ont le plus de pouvoir aujourd'hui en France», devant «les hommes politiques» (52 %) et «les médias» (50 %). Après l'économie agraire, qui a prévalu pendant des millénaires; après l'économie industrielle qui a marqué les XIXe et XXe siècles; nous sommes entrés dans l'ère de l'économie financière globale.

La mondialisation a tué le marché national qui est l'un des fondements du pouvoir de l'État-nation. En l'annulant, elle a modifié le capitalisme national et diminué le rôle des pouvoirs publics. Les États n'ont plus les moyens de s'opposer aux marchés. Les banques centrales étant devenues indépendantes, les États ne disposent plus que de leurs réserves de changes pour contrer éventuellement un mouvement de devise hostile. Or, le volume de ces réserves est ridiculement faible face à la force de frappe des marchés.

Les États sont dépourvus de moyens pour freiner les flux formidables de capitaux, ou pour contrer l'action des marchés contre ses intérêts et ceux de leurs citoyens. Les gouvernants acceptent de respecter les consignes générales de politique économique que définissent des organismes mondiaux comme le Fonds monétaire international (FMI), la Banque mondiale, ou l'Organisation mondiale du commerce (OMC). En Europe, les célèbres « critères de convergence » établis par le traité de Maastricht (endettement public réduit, comptes extérieurs sans distorsions graves, inflation contenue) ont exercé une véritable dictature sur la politique des États, fragilisant le fondement de la démocratie et aggravant la souffrance sociale.

Si des dirigeants affirment encore croire en

l'autonomie du politique, leur volonté de résistance ressemble fort à du bluff, puisqu'ils réclament, avec une véhémente insistance, des « efforts d'adaptation » à cette situation. Or, en de telles circonstances, qu'est-ce que *s'adapter* ? Tout simplement admettre la suprématie des marchés et l'impuissance des hommes politiques, ou, pour le dire autrement, accepter d'« être pieds et poings liés dans un monde qui s'impose à tous ».

Telle est la logique de ces régimes globalitaires. En favorisant, au cours des deux dernières décennies, le monétarisme, la déréglementation, le libre-échange commercial, le libre flux de capitaux et les privatisations massives, des responsables politiques ont permis le transfert de décisions capitales (en matière d'investissement, d'emploi, de santé, d'éducation, de culture, de protection de l'environnement) de la sphère publique à la sphère privée. C'est pourquoi, à l'heure actuelle déjà, sur les deux cents premières économies du monde, plus de la moitié ne sont pas des pays mais des entreprises.

Le phénomène de multinationalisation de l'économie s'est développé de manière spectaculaire. Dans les années soixante-dix, le nombre de sociétés multinationales n'excédait pas plusieurs centaines, aujourd'hui leur nombre frôle les 40 000… Et si l'on considère le chiffre d'affaires global des 200 principales entreprises de la planète, son montant représente plus du quart de l'activité économique mondiale ; et pourtant, ces 200 firmes n'emploient que 18,8 millions de salariés, soit moins de 0,75 % de la main-d'œuvre planétaire.

Au début des années quatre-vingt-dix, quelque 37 000 firmes transnationales enserraient, avec leurs 170 000 filiales, l'économie internationale dans leurs tentacules. Les 200 premières sont des conglomérats dont les activités planétaires couvrent sans distinction les secteurs primaire, secondaire et tertiaire : grandes exploitations agricoles, production manufacturière, services financiers, commerce, etc. ; géographiquement, elles se répartissent entre dix pays : Japon (62), États-Unis (53), Allemagne (23), France (19), Royaume-Uni (11), Suisse (8), Corée du Sud (6), Italie (5), et Pays-Bas (4).

Le chiffre d'affaires de la General Motors est plus élevé que le produit national brut (PNB) du Danemark, celui de Ford est plus important que le PNB de l'Afrique du Sud, et celui de Toyota dépasse le PNB de la Norvège. Et nous sommes ici dans le domaine de l'économie réelle, celle qui produit et échange des biens et des services concrets. Si l'on y ajoute les acteurs principaux de l'économie financière, c'est-à-dire les principaux fonds de pensions américains et japonais qui dominent les marchés financiers, le poids des États devient presque négligeable.

De plus en plus de pays, qui ont massivement vendu leurs entreprises publiques au secteur privé et ont déréglementé leur marché, sont devenus la propriété de grands groupes multinationaux. Ceux-ci dominent des pans entiers de l'économie du Sud ; ils se servent des États locaux pour exercer des pressions au sein des forums internationaux et obtenir les décisions politiques les plus favorables à la poursuite de leur domination globale.

Ainsi, la réalité du nouveau pouvoir mondial échappe largement aux États. La globalisation et la déréglementation de l'économie favorisent l'émergence de pouvoirs nouveaux, qui, avec l'aide des technologies modernes, débordent et transgressent en permanence les structures étatiques.

Quand le modèle économique est celui des paradis fiscaux, et que «les marchés» en viennent à sanctionner (au nom de la lutte contre l'inflation) la création d'emplois et la croissance, n'y a-t-il pas une irrationnelle perversion dans le royaume de finance ?

Le mécanisme qui peut arrêter cette course au désastre, dans la phase de glaciation mondialisatrice à laquelle nous sommes parvenus, est celui d'une dissidence impliquant progressivement une masse critique de citoyens décidés à faire prévaloir leurs droits élémentaires et à favoriser l'avènement d'une vraie société politique. Cette dissidence commence avec le refus de la théologie économique qui a confié au marché le gouvernement du monde : desserrer les ajustements, les recentrer sur le marché interne et non sur les exportations, tempérer la concurrence, réhabiliter la planification, modérer le jeu de casino de la spéculation, utiliser l'Europe comme levier d'un projet social, etc.

Il reste peu de temps car, à de multiples signes, on voit revenir, dans nos sociétés déboussolées, une troublante interrogation : la démocratie est-elle confisquée par un petit groupe de privilégiés qui en usent pour leur bénéfice quasi exclusif ?

Parce qu'ils considéraient que la République devait se fonder sur le « contrat social » — comme l'avait enseigné Jean-Jacques Rousseau —, cette même interrogation a conduit, pendant plus d'un siècle, les socialistes révolutionnaires (de Karl Marx à Trotski en passant par Blanqui, Bakounine et Lénine) à combattre, au nom de la liberté, la « démocratie bourgeoise » et à rêver, pour certains d'entre eux, d'une « dictature du prolétariat ». En même temps, au nom du nationalisme ethnique, l'extrême droite cherchait à abattre le « parlementarisme ».

La défaite militaire des fascismes en 1945, puis l'effondrement des régimes communistes en 1989 semblèrent régler la question. La thèse de Francis Fukuyama sur la « fin de l'histoire » pouvait triompher : la démocratie était l'horizon indépassable de tout régime politique. Et chacun de rappeler le célèbre aphorisme de Winston Churchill : « La démocratie est le pire des systèmes... à l'exception de tous les autres. »

À la faveur de cette embellie, la démocratie s'est étendue partout de manière spectaculaire. Au point que, rarissime à la veille de la seconde guerre mondiale, la démocratie est devenue le régime politique dominant. Et pourtant, de plus en plus nombreux sont ceux qui dénoncent ce système comme une imposture...

En France, le nombre des licenciements a dépassé, en moyenne, en 1996, les 35 000 par mois... L'hémorragie sociale atteint des proportions scandaleuses, notamment dans les industries de main-d'œuvre : textile, chaussure, agroalimentaire, électroménager, automobile, bâtiment. Ce dernier secteur, à lui seul, a vu disparaître, en un an, 24 000 emplois... Celui de l'habillement, 15 000, en un semestre...

La France a déjà perdu plus de 1,8 million d'emplois industriels, et le taux de chômage atteint 11,5 % de la population active, un record historique. On continue cependant d'annoncer une série de « plans sociaux » visant à réduire les effectifs tant dans des entreprises publiques (Aérospatiale, France Télécom, Sernam) que dans des groupes privés (Pechiney, Moulinex, Peugeot).

De surcroît, à l'occasion de grandes fusions, les banques envisagent la suppression de quelque 40 000 emplois. Une identique saignée se prépare dans les secteurs des assurances, de l'aéronautique et du multimédia. Et il faut ajouter la baisse de 24 % des effectifs des armées, décidée par le ministère de la Défense. Tout cela, pour de nombreuses communes, signifie la mort économique.

Entre-temps, en Italie, en Espagne, en Belgique, en Allemagne, au Royaume-Uni, dans l'ensemble de l'Union européenne, les licenciements massifs se poursuivent. Partout, chômage et sous-emploi s'étendent, les salaires sont bloqués, et les budgets sociaux drastiquement réduits au nom de la sacro-sainte compétitivité.

Les inégalités ne cessent de croître à tel point que certains États européens en viennent à accepter une sorte de tiers-mondisation de leurs sociétés. Ainsi, selon des rapports récents de l'ONU, de la Banque mondiale et de l'OCDE : « Au Royaume-Uni, les inégalités entre riches et pauvres sont les plus importantes du monde occidental, comparables à celles qui existent au Nigeria, et plus profondes que celles que l'on trouve, par exemple, à la Jamaïque, au Sri Lanka ou en Éthiopie. » En moins de quinze ans, s'est construite une société de rentiers doublée d'une société d'assistés...

Partout, en Europe, la cohésion sociale se lézarde dangereusement ; au sommet, se renforce une classe de plus en plus aisée (10 % des Français, par exemple, détiennent 55 % de la fortune nationale) tandis que, vers le bas, les poches de pauvreté se creusent. Or, on sait que des citoyens trop démunis, marginalisés, exclus sont incapables de profiter des libertés formelles et de faire valoir leurs droits.

Tout cela se produit dans un cadre économique général où la finance triomphe. Les marchés financiers exercent une influence tellement colossale qu'ils imposent leur volonté aux dirigeants politiques. De même que naguère on pouvait dire que « deux cents familles » contrôlaient le destin de la France, on peut affirmer à présent que « deux cents gérants » contrôlent le destin de la planète. Les gouvernements en viennent même à abandonner toute velléité de politique budgétaire autonome et acceptent d'obéir à des logiques parfaitement étrangères aux préoccupations sociales des citoyens.

C'est sans doute pour cette raison, parce que les politiques consentent désormais à se soumettre à la domination de l'économique et à la dictature des marchés, que le régime démocratique s'étend sans entraves à travers la planète. Naguère tout projet d'instauration démocratique était férocement combattu par les tenants du capital, alliés le plus souvent aux forces armées. De la guerre civile d'Espagne (1936-1939) au renversement du président du Chili, Salvador Allende, en 1973, les exemples ne manquent pas de régimes démocratiques tragiquement abattus parce qu'ils s'apprêtaient à réduire les inégalités en répartissant plus équitablement la richesse. Parce qu'ils entendaient nationaliser (mettre au service de la nation) les secteurs stratégiques de l'économie. La démocratie supposait la domination de l'économie par le politique, pour le bénéfice des citoyens.

Aujourd'hui, démocratie rime avec démantèlement du secteur d'État, avec privatisations, avec enrichissement d'une petite caste de privilégiés, etc. Tout est sacrifié (et en premier lieu le bien-être du peuple) aux impératifs de l'économie financière. À cet égard, en Europe, les critères de convergence imposés par le traité de Maastricht sont devenus des absolus quasiment constitutionnels. Au grand scandale des millions de laissés-pour-compte.

Si l'on ajoute à cela le cynisme de dirigeants qui à peine élus s'empressent de renier les promesses faites durant leur campagne électorale, le poids démesuré des groupes de pression et la montée de la corruption dans la classe politique, comment ne pas voir que cette démocratie en panne favorise, en premier lieu, l'expansion de l'extrême droite ? Comment ne pas comprendre la colère des citoyens confrontés, dans l'ensemble de l'Union européenne, à la marée des injustices ?

Le bon sens l'emportera-t-il ? En viendra-t-on enfin à admettre que sans développement social il ne peut y avoir de développement économique satisfaisant ? Et qu'on ne peut bâtir une économie solide sur une société en ruine ?

# LE SYSTÈME PPII

Nous affrontons une crise d'intelligibilité : l'écart se creuse entre ce qu'il faudrait comprendre et les outils conceptuels nécessaires à la compréhension. Avec la disparition des certitudes et l'absence de projet collectif, faudrait-il se résigner à vivre ce que Max Weber appelait « le désenchantement du monde » ?

Un monde puissamment bousculé par de formidables mutations technologiques, par la persistance des désordres économiques et par la montée des périls écologiques. Ces trois faisceaux de troubles se traduisent, notamment, par le désarroi social, l'explosion des inégalités, l'apparition de nouvelles formes de pauvreté et d'exclusion, la crise de la valeur-travail, le profond malaise du pouvoir, le chômage de masse, la progression de l'irrationnel, la prolifération des nationalismes, des intégrismes, de la xénophobie, et, simultanément, par une très forte demande de morale et un essor des préoccupations éthiques.

Dans ce contexte de déceptions et d'incertitudes, deux nouveaux paradigmes structurent la manière de penser.

Le premier est : la *communication*. Celle-ci a tendance à remplacer, peu à peu, la fonction d'un des paradigmes majeurs des deux derniers siècles : le progrès. De l'école à l'entreprise, de la famille à la justice et au gouvernement, dans tous les domaines et pour toutes les institutions, un seul mot d'ordre désormais : il faut communiquer.

Au nom de la philosophie du progrès (scientifique, culturel, social, économique), les dirigeants des démocraties ont, depuis cent ans, élevé le niveau d'instruction publique, développé les droits sociaux, et augmenté le pouvoir d'achat des catégories défavorisées. Il s'agissait de réduire les inégalités entre les individus, en faisant progresser les plus démunis. Afin de faire reculer la violence. Car on partait du principe qu'une société civilisée est une société ayant exclu la violence de son sein, et que les inégalités lorsqu'elles atteignent des proportions scandaleuses sont source de violence.

Le remplacement de l'idéologie du progrès par celle de la communication entraîne des bouleversements de tous ordres. Et brouille la mission même du pouvoir politique. D'où la rivalité centrale, et de plus en plus grinçante, entre pouvoirs et médias de masse. Notamment, cela conduit certains dirigeants à rejeter ouvertement des objectifs sociaux de première importance, établis par la devise d'«égalité» et de «fraternité». Le pouvoir exécutif voit ce nouveau paradigme mieux accompli, mieux réalisé, mieux mis en œuvre par les médias que par lui-même.

L'autre paradigme est le *marché*. Il remplace celui de machine, d'horloge, d'organisation dont les mécanismes et le fonctionnement assuraient l'évolution d'un système. Dans une horloge, aucune pièce n'est de trop, et tous les éléments, toutes les pièces sont solidaires. À cette métaphore mécanique, héritée du xviiie siècle (une société est une «horloge sociale», et chaque individu exerce une fonction utile au bon fonctionnement de l'ensemble) succède la métaphore économique et financière. Tout désormais doit se réguler selon les critères de «maître marché», panacée ultime. Au premier rang des nouvelles valeurs : le profit, les bénéfices, la rentabilité, la concurrence, la compétitivité.

Les «lois» du marché succèdent aux lois de la mécanique (qui régit la vie des astres, du cosmos et de la nature), ou de l'histoire, comme explication générale du mouvement des sociétés. Là aussi, seuls les plus forts l'emportent, en

toute légitimité, les plus faibles sont exclus. La
vie est une lutte, une jungle. Darwinisme économique et darwinisme social (appels constants à
la compétition, à la sélection, à l'adaptation)
s'imposent comme allant de soi.

Dans ce nouvel ordre, les individus se divisent
en « solvables » et « non-solvables », c'est-à-dire
aptes à intégrer le marché ou inaptes. Le marché n'offre de salut qu'aux solvables. Les autres
ont vocation à être rejetés, expulsés, marginalisés, exclus, car dans la nouvelle configuration
sociale (qui a cessé de faire de la solidarité un
impératif) les « perdants » peuvent être laissés-
pour-compte.

Ces deux paradigmes nouveaux — *communication* et *marché* — constituent les piliers sur lesquels repose le système du monde contemporain
au sein duquel ne se développent avec forte
intensité que les activités possédant quatre attributs principaux : *planétaire, permanent, immédiat*
et *immatériel.* Ce tétralogue est le fer de lance de
la mondialisation, phénomène majeur et déterminant de notre époque.

Qu'est-ce que le système PPII ? Celui qui stimule toutes les activités (financières, commerciales, culturelles, médiatiques) ayant quatre
qualités principales : *p*lanétaire, *p*ermanent,
*i*mmédiat et *i*mmatériel. Quatre caractéristiques
qui rappellent les quatre principaux attributs de

Dieu lui-même. Et, de fait, ce système s'érige en moderne divinité, exigeant soumission, foi, culte et nouvelles liturgies. Tout a désormais tendance à s'organiser en fonction des critères PPII : valeurs boursières, échanges commerciaux, valeurs monétaires, information, communication, programmes de télévision, multimédia, cyberculture, etc. C'est pourquoi on parle tant de « globalisation », ou de « mondialisation ».

Le modèle central ce sont les marchés financiers. Ils imposent comme science de référence non plus les sciences naturelles, la mécanique newtonienne ou la chimie organique, mais le calcul des probabilités, la théorie des jeux, la théorie du chaos, la logique floue et les sciences du vivant.

Au cœur de ce système : l'argent. Hasard, incertitude et désordre deviennent des paramètres forts pour mesurer la nouvelle harmonie d'un monde où la pauvreté, l'analphabétisme, la violence et les maladies ne cessent de progresser. Un monde où le cinquième le plus riche de la population dispose de 80 % des ressources, tandis que le cinquième le plus pauvre dispose d'à peine 0,5 %... Un monde enfin où le montant des transactions sur les marchés monétaires et financiers représente environ cinquante fois la valeur des échanges commerciaux internationaux...

Fascinés par le court terme et le profit immédiat, les marchés sont incapables de prévoir le futur, d'anticiper l'avenir des hommes et de l'environnement, de planifier l'extension des villes, de réduire les inégalités, de soigner la fracture sociale.

Qui sont, en cette fin de siècle, les vrais maîtres du monde ? Qui détient, au-delà des apparences, la réalité du pouvoir ? Poser de telles questions, c'est constater que, le plus souvent, les gouvernants, élus après d'homériques batailles électorales, se retrouvent impuissants face à des forces redoutables, d'envergure planétaire. Celles-ci ne constituent nullement, comme l'imaginent certains romans d'anticipation, une sorte d'état-major clandestin complotant dans l'ombre pour conquérir le contrôle politique de la Terre. Il s'agit plutôt de forces œuvrant à leur guise grâce à la stricte application de la vulgate néolibérale. Qui obéissent à des mots d'ordre précis : libre-échange, privatisations, monétarisme, compétitivité, productivité. Et dont le slogan pourrait être : « Tous les pouvoirs aux marchés ! »

Les finances, le commerce, les médias, entre autres domaines, stimulés par les nouvelles technologies, ont connu une véritable explosion. Et donné naissance à des empires économiques d'un nouveau type qui élaborent leurs propres lois, délocalisent leurs sites de production, déplacent leurs capitaux à la vitesse de la lumière, et investissent d'un bout à l'autre de la planète. Ils ne connaissent ni frontières, ni États, ni cultures. Se moquent des souverainetés nationales. Indifférents aux conséquences sociales, ils spéculent contre les monnaies, provoquent des récessions, et sermonnent les gouvernements.

Quand ils ne sont pas complices, ceux-ci semblent désemparés. Incapables de résoudre, à leur niveau, mille problèmes majeurs — dont le chômage de masse — causés par l'affairisme des nouveaux conquérants. Devant une telle situation, les citoyens sont de plus en plus gagnés par la méfiance à l'égard des «élites». Et se demandent quelle réforme politique il faudrait entreprendre, à l'échelle internationale, pour imposer un contrôle démocratique à ces nouveaux maîtres du monde.

Ceux qui, en démocratie, livrent d'interminables batailles électorales pour conquérir démocratiquement le pouvoir savent-ils que, en cette fin de siècle, le pouvoir s'est déplacé? Qu'il a déserté ces lieux précis que circonscrit le politique? Ne courent-ils pas le risque d'exhiber très vite le spectacle de leur impuissance? D'être contraints de se renier? Et de constater que le vrai pouvoir est ailleurs? Hors de portée.

Un grand hebdomadaire français publiait récemment une enquête sur « les 50 hommes les plus influents de la planète », pas un chef d'État ou de gouvernement, pas un ministre ou un député, pas un élu de quelque pays que ce soit, n'y figurait. Un autre hebdomadaire a consacré sa une à « l'homme le plus influent du monde ». De qui s'agissait-il ? De William Clinton ? De Boris Eltsine ? Non. Tout simplement de Bill Gates, le patron de Microsoft, qui domine les marchés stratégiques de l'information et qui s'apprête à contrôler les autoroutes de l'information.

Les formidables bouleversements scientifiques et technologiques des deux dernières décennies ont dopé, dans plusieurs domaines, les thèses ultralibérales du « laissez faire, laissez passer ». Et la chute du mur de Berlin, la disparition de l'Union soviétique et l'effondrement des régimes communistes les ont, de surcroît, encouragées. La mondialisation des échanges de signes, en particulier, a été fabuleusement accélérée. Grâce à la révolution de l'informatique et de la communication. Celles-ci, concrètement, ont entraîné l'explosion — les célèbres *big bang* — de deux secteurs, véritables systèmes nerveux des sociétés modernes : les marchés financiers et les réseaux d'information.

La transmission de données à la vitesse de la

lumière (300 000 kilomètres par seconde) ; la numérisation des textes, des images et des sons ; le recours, devenu banal, aux satellites de télécommunications ; la révolution de la téléphonie ; la généralisation de l'informatique dans la plupart des secteurs de la production et des services ; la miniaturisation des ordinateurs et leur mise en réseau sur Internet à l'échelle planétaire ont, peu à peu, chambardé l'ordre du monde.

Tout particulièrement le monde de la finance. On échange instantanément, vingt-quatre heures sur vingt-quatre, des données d'un bout à l'autre de la Terre. Les principales bourses sont reliées entre elles et fonctionnent en boucle. Non-stop. Tandis que, à travers le monde, devant leurs écrans électroniques, des milliers de jeunes gens surdiplômés, surdoués, passent leurs journées pendus au téléphone. Ils sont les clercs du marché. Ils interprètent la nouvelle rationalité économique. Celle qui a toujours raison. Et devant laquelle tout argument — *a fortiori* s'il est d'ordre social ou humanitaire — doit s'incliner.

Le plus souvent, pourtant, les marchés fonctionnent pour ainsi dire à l'aveugle, en intégrant des paramètres quasiment empruntés à la sorcellerie ou à la psychologie de bazar… D'autant que, en raison de ses nouvelles caractéristiques, le marché financier a mis au point plusieurs gammes de nouveaux produits — dérivés, futurs — extrêmement complexes et volatils. Que peu d'experts connaissent bien, et qui donnent à ceux-ci — non sans risques, comme la débâcle de la banque britannique Barings l'a montré en 1995 — un avantage considérable dans les transactions. Ils sont à peine quelques dizaines dans le monde à savoir agir utilement — c'est-à-dire pour leur plus grand bénéfice — sur les cours des valeurs ou des monnaies. Ils sont considérés comme les «maîtres des marchés».

Face à la puissance de ces mastodontes de la finance, les États ne peuvent plus grand-chose. La crise financière du Mexique, déclenchée fin décembre 1994, l'a particulièrement montré. Que pèsent les réserves, cumulées, en devises des États-Unis, du Japon, de l'Allemagne, de la France, de l'Italie, du Royaume-Uni et du Canada — soit les sept pays les plus riches du monde — face à la force de frappe financière des fonds d'investissement privés, pour la plupart anglo-saxons ou japonais? Pas grand-chose. À titre d'exemple, songeons que dans le plus important effort financier jamais consenti dans l'histoire économique moderne en faveur d'un pays — en l'occurrence le Mexique — les grands États de la planète (dont les États-Unis), la Banque mondiale et le Fonds monétaire international sont parvenus, ensemble, à réunir environ 50 milliards de dollars. Une somme considérable. Eh bien, à eux seuls, les trois premiers fonds de pensions américains — les *Big Three* d'aujourd'hui —, Fidelity Investments, Vanguard Group et Capital Research and Management contrôlent 500 milliards de dollars...

Les gérants de ces fonds concentrent en leurs mains un pouvoir financier d'une envergure inédite. Qu'aucun ministre de l'Économie ou aucun gouverneur de Banque centrale du monde ne possède. Dans un marché devenu instantané et planétaire, tout déplacement brutal de ces authentiques mammouths de la finance peut entraîner la déstabilisation économique de n'importe quel pays.

Des dirigeants politiques des principales puissances planétaires, réunis dans le cadre du forum international de Davos (Suisse), ont dit clairement, en 1996, combien ils redoutaient la surhumaine puissance de ces gérants de fonds. Dont la fabuleuse richesse s'est totalement affranchie des gouvernements, et qui agissent à leur guise sur le cyberespace de la géofinance. Celui-ci constitue une sorte de nouvelle frontière, un nouveau territoire dont dépend le sort d'une bonne partie du monde. Sans contrat social. Sans sanctions. Sans lois. À l'exception de celles que fixent arbitrairement les principaux protagonistes. Pour leur plus grand profit.

Ce qui a conduit Boutros Boutros-Ghali, ex-secrétaire général des Nations unies, à déclarer : « La réalité du pouvoir mondial échappe largement aux États. Tant il est vrai que la globalisation implique l'émergence de nouveaux pouvoirs qui transcendent les structures étatiques. »

Parmi ces nouveaux pouvoirs, celui des médias de masse apparaît comme l'un des plus puissants et des plus redoutables. La conquête d'audiences massives à l'échelle planétaire déclenche des batailles homériques. Des groupes industriels sont engagés dans une guerre à mort pour la maîtrise des ressources du multimédia et des autoroutes de l'information qui, selon le vice-président américain, Albert Gore, « représentent pour les États-Unis d'aujourd'hui ce que les infrastructures du transport routier représentèrent au milieu du xxe siècle ».

Pour la première fois dans l'histoire du monde, des messages audiovisuels (informations, programmes et chansons) sont adressés en permanence, par le biais de chaînes de télévision relayées par satellite, à l'ensemble de la planète. Il y a actuellement deux chaînes planétaires — Cable News Network (CNN) et Music

Television (MTV) — mais demain elles seront des dizaines. Qui bouleverseront mœurs et cultures, idées et débats. Et parasiteront, ou court-circuiteront la parole des gouvernants. Ainsi que leur conduite.

Des groupes plus puissants que des États font une razzia sur le bien le plus précieux des démocraties : l'information. Vont-ils imposer leur loi au monde entier ou, au contraire, ouvrir une nouvelle aire de liberté pour le citoyen ? Peut-on s'étonner, dans de telles circonstances que, aux États-Unis notamment, les inégalités de richesses continuent de s'aggraver ? Et que, comme le constate l'*International Herald Tribune*, du 19 avril 1995 : « 1 % des personnes les plus fortunées contrôlent environ 40 % de la richesse nationale, soit deux fois plus qu'au Royaume-Uni qui est le pays le plus inégalitaire d'Europe occidentale. »

Ni Ted Turner, de CNN, ni Rupert Murdoch, de News Corporation Limited, ni Bill Gates, de Microsoft, ni Jeffrey Vinik, de Fidelity Investments, ni Larry Rong, de China Trust and International Investment, ni Robert Allen, d'ATT, pas plus que des dizaines d'autres nouveaux maîtres du monde n'ont jamais soumis leurs projets au suffrage universel. La démocratie n'est pas pour eux. Ils sont au-dessus de ces interminables discussions où des concepts comme le bien public, le bonheur social, la liberté et l'égalité ont encore un sens. Ils n'ont pas de temps à perdre. Leur argent, leurs produits et leurs idées traversent sans obstacles les frontières d'un marché mondialisé.

À leurs yeux, le pouvoir politique n'est que le troisième pouvoir. Il y a d'abord le pouvoir économique, puis le pouvoir médiatique. Et quand on possède ces deux-là — comme Berlusconi en a fait la démonstration en Italie —, s'emparer du pouvoir politique n'est plus qu'une formalité.

C'est pourquoi tant de citoyens demeurent à la recherche de sens et de valeurs. Une fois encore, chacun sent la nécessité de définir un projet collectif, une finalité, un grand dessein. Comment mettre de l'ordre dans un monde qui explose de toutes parts ? Où les guerres civiles, les guerres ethniques et les guerres de religion se multiplient ? Avec quels instruments intellectuels le comprendre ? À quelle rationalité, à quelle logique répondent les conflits en cours ?

Une fois encore, un monde nouveau s'annonce… Mais beaucoup de citoyens, en France (où il y a trois millions de chômeurs, un million d'allocataires du RMI, cinq millions d'exclus), considèrent que nous entrons dans un monde où la régression, le drame et la tragédie sont possibles. Que les dirigeants politiques ne maîtrisent nullement les problèmes Et le formidable potentiel de révolte enfoui, comme on a pu le voir en décembre 1995, commence à gronder

Car, en effet, dans les démocraties actuelles, de plus en plus de citoyens libres se sentent englués, poissés par une sorte de visqueuse doctrine qui, insensiblement, enveloppe tout raisonnement rebelle, l'inhibe, le trouble, le paralyse et finit par l'étouffer. Cette doctrine, c'est la « pensée unique », la seule autorisée par une invisible et omniprésente police de l'opinion.

L'arrogance, la morgue et l'insolence de cette doctrine ont atteint un tel degré depuis la chute du mur de Berlin, l'effondrement des régimes communistes et la démoralisation du socialisme, qu'on peut, sans exagérer, qualifier cette nouvelle fureur idéologique de moderne dogmatisme.

Qu'est-ce que la pensée unique ? La traduction en termes idéologiques à prétention universelle des intérêts d'un ensemble de forces économiques, celles, en particulier, du capital international. Elle a été, pour ainsi dire, formulée et définie dès 1944, à l'occasion des accords de Bretton Woods. Ses sources principales sont les grandes institutions économiques et monétaires — Banque mondiale, Fonds monétaire international, Organisation de coopération et de développement économique (OCDE), Organisation mondiale du commerce, Commission européenne, Bundesbank, Banque de France, etc. — qui, par leur financement, enrôlent au service de leurs idées, à travers toute la planète, de nombreux centres de recherches, des universités, des fondations, lesquels, à leur tour, affinent et répandent la bonne parole.

Celle-ci est reprise et reproduite par les principaux organes d'information économique et notamment par les «bibles» des investisseurs et des boursiers — *The Wall Street Journal, The Financial Times, The Economist, Far Eastern Economic Review,* l'agence Reuter, etc. —, propriétés, souvent, de grands groupes industriels ou financiers. Un peu partout, des facultés de sciences économiques, des journalistes, des essayistes, des hommes politiques enfin reprennent les principaux commandements de ces nouvelles tables de la loi et, par le relais des grands médias de masse, les répètent à satiété. Sachant pertinemment que, dans nos sociétés médiatiques, répétition vaut démonstration.

Le premier principe de la pensée unique est d'autant plus fort qu'un marxiste distrait ne le renierait point : l'économique l'emporte sur le politique.

Au nom du «réalisme» et du «pragmatisme»

— que Alain Minc formule de la manière suivante : «Le capitalisme ne peut s'effondrer, c'est l'état naturel de la société. La démocratie n'est pas l'état naturel de la société. Le marché oui» — l'économie est placée au poste de commandement. Une économie débarrassée de l'obstacle du social, sorte de gangue pathétique dont la lourdeur serait cause de régression et de crise.

Les autres concepts clés de la pensée unique sont connus : le marché, dont «la main invisible corrige les aspérités et les dysfonctionnements du capitalisme», et tout particulièrement les marchés financiers dont «les signaux orientent et déterminent le mouvement général de l'économie» ; la concurrence et la compétitivité qui «stimulent et dynamisent les entreprises, les amenant à une permanente et bénéfique modernisation» ; le libre-échange sans rivages, «facteur de développement ininterrompu du commerce et donc des sociétés» ; la mondialisation, aussi bien de la production manufacturière que des flux financiers ; la division internationale du travail qui «modère les revendications syndicales et abaisse les coûts salariaux» ; la monnaie forte, «facteur de stabilisation» ; la déréglementation ; la privatisation ; la libéralisation, etc. Toujours «moins d'État», un arbitrage constant en faveur des revenus du capital au détriment de ceux du travail. Et une indifférence à l'égard du coût écologique.

La répétition constante, dans tous les médias, de ce catéchisme par presque tous les hommes politiques, de droite comme de gauche, lui confère une telle force d'intimidation qu'elle étouffe toute tentative de réflexion libre, et rend fort difficile la résistance contre ce nouvel obscurantisme.

On en viendrait presque à considérer que les 20 millions de chômeurs européens, le désastre urbain, la précarisation générale, les banlieues en feu, le saccage écologique, le retour des racismes et la marée des exclus sont de simples mirages, des hallucinations coupables, fortement discordantes dans ce meilleur des mondes qu'édifie, pour nos consciences anesthésiées, la pensée unique.

Et cela, parce que, insensiblement, les paradigmes nouveaux du système PPII structurent la manière de penser la réalité en cette fin de siècle. À l'instar d'une idéologie dominante, tel un liquide, ils s'infiltrent partout, s'imposent comme naturels, et sont repris en boucle par les grands médias de masse (télévision, radio, presse), par une grande part des « élites », des faiseurs d'opinion et des partisans de cette pensée unique.

Aussi, est-il choquant de constater à quel

point, paradoxalement, une période de bouil-
lonnement, de crises et de périls de tous ordres
comme la nôtre coïncide avec un consensus
idéologique écrasant, imposé par les médias,
par les sondages et la publicité grâce à la manipulation des signes et des symboles, et au nouveau contrôle des esprits.

Fort heureusement, ici et là, au Nord comme
au Sud, des intellectuels, des scientifiques et des
créateurs n'hésitent pas à dénoncer le consensus asphyxiant, et à engager le combat intellectuel. Ils résistent, contestent, se rebellent. Ils
proposent d'autres arguments, d'autres thèses
pour échapper au contrôle des esprits et pour
aider à transformer le monde. Ils nous aident
ainsi à mieux comprendre le sens de notre
temps. Ils expriment leur refus d'un modèle de
société fondé sur l'économisme, le libéralisme
intégral, le totalitarisme des marchés et la tyrannie de la mondialisation. Ils rappellent aux
dirigeants un vieux principe républicain : les
citoyens préfèrent le désordre à l'injustice.

D'autant que cette nouvelle protestation met
en crise le pouvoir, la démocratie et les élites.
Un pouvoir qui apparaît de plus en plus comme
l'exécutant, le supplétif, le laquais des vrais
maîtres du monde : les marchés financiers. Une
démocratie minée, entre autres, par la désinvolture de dirigeants qui, à peine élus, se hâtent

de renier spectaculairement leur programme et leurs promesses. Des élites qui, depuis des années, s'acharnent à faire l'éloge de la « pensée unique », exercent un authentique chantage sur toute réflexion critique au nom de la « modernisation », du « réalisme », de la « responsabilité » et de la « raison », affirment le « caractère inéluctable » des évolutions en cours, prônent la capitulation intellectuelle, et rejettent dans les ténèbres de l'irrationnel tous ceux qui refusent d'accepter que l'« état naturel de la société c'est le marché ».

À cet égard, la protestation qui monte dans les sociétés européennes pourrait mettre un terme à l'une des périodes les plus réactionnaires de l'histoire contemporaine. Une période où on aura même vu, de 1983 à 1993, des dirigeants et des intellectuels sociaux-démocrates abandonner tout espoir de transformer le monde, et proposer, en guise d'avenir radieux, une seule consigne puisée dans la terminologie darwinienne chère aux ultralibéraux : *s'adapter*, c'est-à-dire : renoncer, abdiquer, se soumettre.

Même au plus noir de la grande dépression de 1929, il n'y avait pas eu un nombre aussi élevé de laissés-pour-compte. Si, aux 20 millions de sans-emploi, on ajoute les exclus de toutes sortes, cela fait une population européenne de quelque 50 millions de personnes paupérisées, souvent localisées dans des cités-banlieues à la dérive, et dont la plus grande crainte est la marginalisation définitive. Dix millions d'entre elles vivant en dessous du seuil de pauvreté absolue, avec moins de 60 F par jour… Parce que la misère est une insulte aux droits de l'homme, de telles déchirures dans le tissu social ruinent une certaine conception de la république.

Les chômeurs, les sans-abri, les précarisés, les exclus sont l'expression dramatique des sacrifices réclamés, sans contrepartie, à la société européenne depuis deux décennies. La traduction sociale de choix purement idéologiques fondés sur la rigueur budgétaire, la monnaie forte, la réduction des déficits publics, les délocalisations, la compétitivité, la productivité, etc. De cela, les gens ne veulent plus. Et n'acceptent pas qu'on appelle *réforme* ce qui n'est, au sens propre, qu'une contre-réforme, un retour à l'ordre social ancien, au monde abominable décrit par Dickens et par Zola.

Des millions de citoyens restent confrontés au scandale de sociétés prospères qui, au nom de l'économisme, s'accommodent de poches de misère chaque jour plus importantes. Comment ne pas comprendre les rancœurs anti-européistes de ceux qui se sentent menacés par la brutalité de l'ajustement structurel imposé par Bruxelles et par l'application aveugle des critères de convergence définis par le traité de Maastricht?

Construire l'Europe est un objectif essentiel à l'heure où rôde, à ses frontières et en son propre sein, l'ultranationalisme. Mais on ne répond pas à un si noble défi par des taux d'intérêt ou des critères de convergence. Le terrain qui s'impose est celui du social, le seul pouvant redonner crédit à l'espérance européenne et la dégager de la gangue monétariste qui risque de la condamner. L'Europe a inventé l'État providence. Comme nulle part au monde, les citoyens des Quinze bénéficient d'un régime vieillesse, d'une assurance maladie, d'allocations familiales, d'indemnisations du chômage, ainsi que des dispositions du droit du travail. Cet arsenal de garanties socio-économiques, conquis par le mouvement ouvrier, constitue le cœur de la civilisation européenne moderne. C'est cela, au fond, qui distingue nettement l'Union européenne d'autres aires géopolitiques et notamment de ses concurrents économiques américains et japonais.

La logique de la mondialisation et du libre-échange planétaire pousse à aligner les salaires et la protection sociale sur ceux, très inférieurs, des pays concurrents d'Asie-Pacifique. Au nom de l'efficacité économique, et au risque de briser la cohésion nationale, les gouvernements

européens peuvent-ils poursuivre la décons-
truction de l'édifice social?

L'attention avec laquelle tous les salariés
européens ont suivi l'annonce, en février 1997,
de la fermeture de l'usine Renault à Vilvoorde
(Belgique) — qui a donné lieu, pour la première fois, à une « euro-grève » —, montre à
quel point les angoisses sont partagées. Partout,
des mesures injustes et inégalement réparties
sont menées à peu près dans les mêmes termes
et à un rythme identique, sous la pression des
marchés financiers. Partout, les citoyens s'interrogent sur l'intérêt de bâtir l'Europe sur les
ruines de l'État providence, sur la régression
sociale, l'emploi rare, l'argent cher, la baisse
des salaires ; ils se demandent où est le progrès
dans tout cela.

## MONTÉE DE L'IRRATIONNEL

Ruiné par le cataclysme boursier d'octobre 1987, un «petit porteur» se pendit quelques jours plus tard à Madrid, dans un jardin public. Pour expliquer son geste, le désespéré laissa une lettre dans laquelle il dénonçait «les abus et le cannibalisme des agents de change de la Bourse à l'égard des petits épargnants». Il y racontait également comment, après avoir décidé de se suicider, il s'était accordé un ultime délai et avait choisi de se soumettre en quelque sorte au jugement de Dieu : «J'eus comme l'illumination que Dieu existait et que, peut-être, ma destinée n'était pas le suicide.» Il consacra alors le reste de ses économies à acheter des billets de loterie et à jouer au Loto. «Pour voir si Dieu y mettait du sien et m'aidait à m'en sortir.» Mais le ciel resta désespérément silencieux, la chance ne lui sourit pas et l'homme, finalement, se pendit.

Recourir à Dieu pour sauver la Bourse et

faire remonter les actions, c'est également ce qu'ont décidé, en novembre 1987, les notables catholiques d'une ville italienne. Ils ont fait célébrer par le curé local une messe solennelle afin de conjurer la chute des cours.

Comment ne pas se tourner vers Dieu quand tout s'effondre autour de soi? Quand les «sciences» économiques elles-mêmes se révèlent incapables d'apporter des corrections logiques aux furieux dérèglements de l'économie mondiale? Dérèglements et distorsions que les spécialistes eux-mêmes n'hésitent pas à qualifier d'*irrationnels*.

La crise économique actuelle, par sa brutalité, provoque çà et là des effets de panique et d'égarement. Dans des sociétés en principe dominées par la rationalité, quand celle-ci patine ou se disloque, les citoyens sont tentés de recourir à des formes de pensée prérationalistes, ils renouent avec la superstition, l'ésotérisme, et acceptent de croire aux baguettes magiques capables de transformer le plomb en or, et les crapauds en princes.

De plus en plus de citoyens, qui se sentent menacés par une modernisation technologique brutale et forcée, éprouvent des rancœurs antimodernistes. Et l'on constate que l'actuelle rationalité économique, méprisante pour l'homme, favorise la montée d'un irrationalisme social.

Devant tant de bouleversements incompréhensibles et tant de menaces, de nombreuses personnes croient assister à une éclipse de la raison. Et sont tentées par la fuite dans une image du monde irrationnelle. Beaucoup de gens se tournent vers les paradis artificiels de la drogue, de l'alcool ou vers les parasciences et les pratiques occultistes. Sait-on que, chaque année, en Europe, plus de 40 millions de personnes consultent voyants et guérisseurs ? Qu'une personne sur deux affirme être sensible aux phénomènes paranormaux ?

Des sectes illuministes, semblables à celle des Davidiens de Waco, du Temple solaire, ou de la Heaven's Gate se multiplient ainsi que les nombreux mouvements millénaristes qui compteraient plus de 300 000 adeptes en Europe

Michel Foucault, dans ses cours au Collège de France, avait coutume de dire que la vérité, contrairement à ce que l'on croit, n'est ni absolue, ni stable, ni univoque. « La Vérité a une histoire — affirmait-il — qui, en Occident, se divise en deux périodes : l'âge de la vérité-foudre et celui de la vérité-ciel. » La vérité-foudre est celle qui est dévoilée à une date précise, sur un lieu déterminé et par une personne élue des dieux comme, par exemple, l'oracle de Delphes, les prophètes bibliques ou, encore aujourd'hui, le pape catholique parlant *ex cathedra*. La vérité-ciel, en revanche, est établie pour tous, toujours et partout; c'est celle de la science, de Copernic, de Newton et d'Einstein.

Le premier âge a duré des millénaires; et la passion de la vérité révélée a suscité des lignées de zélateurs, fléaux des hérésiarques, et inlassables bâtisseurs d'inquisitions. Le second âge, celui de la vérité fondée sur la raison scientifique, commence pour ainsi dire au XVIIIᵉ siècle mais possède également ses « grands prêtres »; et Michel Foucault n'excluait pas qu'un jour ceux-ci défendent leur propre vision des choses, et leurs prérogatives, en ayant recours à des arguments peu différents de ceux des adeptes des âges obscurs.

On put d'ailleurs le vérifier à l'occasion de l'Appel de Heidelberg[1], signé par 264 scientifiques, dont 52 prix Nobel, dénonçant l'écologie comme « l'émergence d'une idéologie irrationnelle qui s'oppose au progrès scientifique et industriel ». « Appel » rendu public à l'occasion du sommet de la planète Terre à Rio de Janeiro en juin 1993, à l'heure où tant de citoyens se demandaient précisément si l'homme n'était pas « en danger de science ».

Interrogation d'autant plus pertinente que sous prétexte de « progrès industriel », des catas-

1. *Le Monde*, 3 juin 1992.

trophes écologiques n'ont cessé de se succéder
sur toute la planète ces dernières années, comme
celles de Three Miles Island (200 000 personnes
évacuées), de Seveso (37 000 personnes contaminées), de Bhopal (2 800 morts, 20 000 blessés),
de Tchernobyl (300 morts, 50 000 irradiés), de
Guadalajara (200 morts, 20 000 sans-abri), du
sang contaminé, de l'hormone de croissance,
de l'amiante, de la « vache folle », du tabac, du
diesel...

Ces cataclysmes de type nouveau et bien
d'autres (il y a eu, par exemple, ces vingt dernières années, environ mille marées noires, et
plus de 180 accidents chimiques graves qui ont
tué quelque 8 000 personnes et en ont blessé
plus de 25 000) ont contribué à ruiner l'espoir
de ceux qui attendaient de la science moderne
qu'elle fasse entrer l'humanité dans un nouvel
âge d'or. L'Appel de Heidelberg, dans lequel
certains ont cru discerner « les prémices d'un
nouveau scientisme », ne change rien et ne dissipe pas la suspicion et la méfiance à l'endroit
de la technoscience.

En fait, de nombreux citoyens estiment que
l'alliance du capital, de l'industrie et de la
science constitue une trahison à l'éthique de
cette dernière, et qu'une telle conception marchande du progrès est en grande partie responsable de certains des plus graves maux

planétaires. Compromis apathiques et recom
mandations atones ne feront que retarder les
inéluctables échéances et l'heure des décisions
difficiles alors que la planète dérive vers une
catastrophe écologique globale. Car les citoyens
continuent d'assister, la rage au cœur, à la disparition des forêts, à la dévastation des pâtu-
rages, à l'érosion des terres, à l'avancée des
déserts, à la raréfaction de l'eau douce, à la corruption des océans, à la surpopulation, à l'extension des pandémies et à la pauvreté.

De plus en plus de gens restent convaincus
que la science ne peut plus rien ni pour la planète ni pour eux, et que le progrès lorsqu'il est
piloté par le seul intérêt marchand est « la mère
de toutes les crises ».

Lors de précédentes crises économiques,
dans des pays fortement industrialisés, on a pu
assister à des mouvements massifs de retour à
l'irrationnel. Le Vieux Continent a ainsi connu,
lors de la grande dépression au début des années
trente, un moment où les mythes archaïques
ont resurgi avec un dynamisme essentiellement
instinctif et émotionnel. La faillite du moder-
nisme, la crise économique, le désarroi social et
l'aspiration identitaire provoquèrent alors une
sorte de désenchantement du monde et favorisèrent, en particulier en Allemagne, une fascination pour l'irrationnel que capitalisa l'extrême

droite. « Beaucoup de citoyens allemands, selon l'historien Peter Reichel, voulaient s'abstraire d'un temps présent qu'ils ne comprenaient pas et préféraient s'engouffrer dans un univers en trompe l'œil. »

Dans l'Allemagne des années vingt, la défaite militaire suivie de l'hyperinflation et de la banqueroute provoquèrent un fort engouement pour les pratiques occultistes, le surnaturel et le merveilleux. En témoigne, entre autres, le grand succès populaire de films expressionnistes comme *Le Cabinet du docteur Caligari*, *Nosferatu*, *Le Golem*, *Mabuse*, *M le Maudit* et *Metropolis*. En analysant ces « écrans démoniaques », l'historien Sigfried Kracauer a pu montrer combien était direct le chemin conduisant de Caligari à Hitler[1].

Dès 1930, l'écrivain Thomas Mann mettait en garde les citoyens, dans sa célèbre nouvelle *Mario et le Magicien*, contre les dangers politiques à une époque de misère culturelle, alors que, autour de lui, se multipliaient les idéologies de fuite, les sectes, les pratiques parapsychologiques et que sombrait la raison. Son « magicien », un hypnotiseur, est une claire allusion à Benito Mussolini.

---

1. Sigfried Kracauer, *De Caligari à Hitler*, Paris, Flammarion, 1987.

Traumatisés par la complexité de la crise, appauvris, déboussolés, les citoyens allemands abandonnaient leur volonté, leur libre arbitre, leur confiance dans les démarches rationnelles et, peu à peu, se laissaient gagner par l'obscurantisme et le culte du chef. «Les masses commençaient à penser que les calamités majeures qui les accablent ne trouvent pas de remède dans des raisonnements logiques sur la réalité, mais dans des moyens qui, précisément, les en détournent comme ceux de la magie, tant il est vrai qu'il est commode et moins pénible de rêver que de penser[1].» «Le terrain, dira Thomas Mann, était prêt pour la foi en Hitler.»

Aux États-Unis, la panique créée par le krach boursier de 1929 (qui commença le 23 octobre et dura jusqu'au 13 novembre) et par la terrible dépression qu'il entraîna allait également susciter une montée de l'irrationnel. Là encore, le cinéma apparaît comme le meilleur témoin de ce troublant goût du public. Hollywood en profita pour lancer une série de films fantastiques et de terreur, extraordinaires succès populaires. Les personnages cauchemardesques de Frankenstein, Dracula, la Momie, King Kong, l'Île du Dr Moreau vont exorciser les frayeurs

1. André Gisselbrecht dans son introduction à *Mario et le Magicien*, Paris, Flammarion, 1983.

des victimes de la crise. L'émerveillement du cinéma (c'est le début du parlant) dissipe alors et transforme les angoisses d'une médiocre vie quotidienne, comme l'a magistralement montré Woody Allen dans *La Rose pourpre du Caire* (1985).

Le début des années trente, en Amérique, c'est aussi le temps des charlatans pseudo-religieux comme Elmer Gantry, le héros du roman de Sinclair Lewis. L'époque également d'une insolite floraison de jeux, de loteries de toutes sortes, d'horoscopes (ils apparaissent pour la première fois dans la presse française en 1935) et de concours absurdes comme ces « marathons de danse » que dénoncera Horace Mac Coy dans son roman *On achève bien les chevaux* (1935).

Chômage, salaires en baisse, faillites innombrables, banqueroutes ruineuses, la crise et la dépression s'abattent avec une violence inouïe sur des citoyens américains confiants, insouciants. Pour leur plus grande frayeur, ils vont constater l'incroyable incompétence de leurs dirigeants politiques et l'incapacité de ceux-ci à affronter la tempête économique, à maîtriser les périls. En premier lieu, le président des États-Unis lui-même, Herbert Hoover, un ultralibéral, qui reconnaît en 1930 : « Je n'ai jamais cru que notre forme de gouvernement pût

résoudre d'une manière satisfaisante des problèmes économiques par une action directe, ni
qu'elle pût gérer avec succès des institutions
économiques. » Et surtout, le secrétaire au Trésor, Andrew Mellon, qui n'hésite pas à crier à
la barbe de quatorze millions de chômeurs :
« Vive la crise ! Cela purgera, ajoute-t-il, la pour-
riture qui infecte le système. Le coût de la vie,
trop élevé, et le niveau de vie, excessif, baisse-
ront. Les gens travailleront plus dur, ils mène-
ront une vie plus morale. Les valeurs boursières
trouveront un niveau d'ajustement, et les gens
entreprenants ramasseront les débris abandonnés par les moins compétents. »

Devant ces déclarations, que chaque victime
de la crise et du chômage de masse perçoit
comme cyniques, le doute s'installe chez beaucoup de citoyens ainsi que le scepticisme et la
méfiance à l'égard de la classe politique. Dans
de telles circonstances, les principes les mieux
établis vacillent, menacent de s'effondrer. Et
des propositions antiparlementaires, antidémo-
cratiques qui naguère auraient été rejetées avec
la dernière énergie trouvent alors de nombreuses oreilles attentives.

Dans les années 1971-1973, à la fin d'une
période de trente ans de croissance et de prospérité, le retour du spectre du chômage et
de la récession fit reparaître, dans le champ de

l'imaginaire socioculturel, de nouvelles fictions de crise comme, par exemple, les films catastrophes[1] : *Tremblement de terre, 747 en péril, La Tour infernale, L'Aventure du Poséidon,* etc. Ces récits signalaient, assez précisément, l'entrée des sociétés industrielles dans une nouvelle ère d'angoisse sociale.

Au cours des vingt-cinq dernières années, à mesure que se dégradait la situation économique et qu'augmentait le nombre des laissés-pour-compte, les sectes modernes se multipliaient ainsi que les nouvelles superstitions. Comme si, dans le mouvement lent des mentalités, entre le terrain gagné par la rationalité technique et celui perdu par les religions traditionnelles, il restait une sorte de *no man's land* qu'occuperaient de nouvelles croyances ou des formes archaïques de religiosité.

La nouvelle pauvreté et les angoisses confuses qu'elle suscite expliquent, par exemple, en Europe, l'extraordinaire renaissance des pèlerinages. Et, comme aux pires époques de désespoir populaire, certains fidèles croient même voir, à nouveau, des apparitions de la Vierge Marie. En avril 1982, à La Talaudière (Indre), une adolescente a assuré avoir vu la Vierge

1. *Cf.* Ignacio Ramonet, *Le Chewing-gum des yeux,* Paris, Alain Moreau, 1981.

Marie. Très vite, comme éperdus, accouraient des milliers de pèlerins et d'infirmes de tout le pays, mais également de Belgique, des Pays-Bas, de Suisse et d'Italie. Ils se rassemblaient dans le jardin où eut lieu l'apparition et attendaient un signe du ciel...

En septembre 1984, Marie réapparaît à Montpinchon (Normandie), où trois témoins croient la voir «radieuse, cheveux blonds et bras tendus». Là encore, des milliers de désemparés arrivent très vite dans l'espoir d'une nouvelle manifestation. Si celle-ci ne se produit pas, ils iront en pèlerinage comme 300 000 autres chaque année à Kerinizen (Finistère) où vit toujours une vieille dame visionnaire, Jeanne-Louise. Pendant trente ans, la Vierge lui serait apparue soixante et onze fois et lui aurait dit : «Je veux rechristianiser la France afin qu'elle redevienne la lumière des peuples païens...» D'autres pèlerins (un million et demi en moyenne par an) se rendent au 140, rue du Bac à Paris, à la chapelle de «la médaille miraculeuse». Cette médaille que la Vierge lors d'une apparition le 27 novembre 1830 aurait demandé de faire frapper pour «accorder de grandes grâces» et que portait au cou Bernadette Soubirous, en 1858, lorsqu'elle-même vit la Vierge à Lourdes. À l'entrée d'une grotte où viennent prier, chaque année, plus de quatre millions de pèlerins...

Cette renaissance de la religion populaire, du culte des saints guérisseurs encouragé par la hiérarchie la plus conservatrice de l'Église, coïncide précisément avec le retour des temps durs. Alors, on se remet à espérer en la providence et, littéralement, à croire aux miracles.

Mais on croit encore plus fortement aux vieux mythes païens du destin, de la fortune ; et, trois mille ans après les Chaldéens, on invoque le pouvoir des astres « qui règlent, d'une volonté inflexible, tout dans l'univers ». Tout en sachant ces croyances incompatibles avec l'esprit scientifique, les citoyens, intimidés par les risques des temps nouveaux, adhèrent à leur raisonnement parfaitement illogique et à d'abracadabrantes superstitions. Ils défient ainsi, sans se l'avouer, les critères d'une rationalité technologico-scientifique qui ne répond pas toujours à leurs hantises immédiates (chômage, Sida, sang contaminé, « vache folle », cancer, solitude, insécurité, etc.). Dans des sociétés néolibérales ayant érigé en emblème le slogan « que le meilleur gagne », chacun cherche à se prouver, au-delà de ses contingences sociales objectives, qu'il peut être un gagnant, un battant. Et cela au moyen des jeux de hasard.

Le hasard prend ainsi la place du sacré. Il est à la fois fascinant et terrifiant. Autour de nous prolifèrent toutes sortes de loteries... Et l'on assiste à l'explosion proprement délirante des jeux-concours proposés par tant de magasins de marques de produits, de publications et de journaux. Sans parler des nombreuses émissions de télévision qui font tourner, sous les yeux ébahis de tant d'exclus une insolite roue de la fortune déversant une pluie de millions sur les heureux élus...

Le spectacle du sport aussi, en ces temps de néo-obscurantisme, redevient un «opium du peuple». Il permet de défouler l'agressivité contenue, intériorisée ; il se donne comme une sorte de substitut à la guerre. Par d'autres moyens certes, mais il est la métaphore de la guerre, de l'affrontement, de la violence.

La médiatisation du sport favorise sa politisation. On a pu voir l'exploitation politique que le fascisme italien a faite du football. Dans les années vingt, on a construit en Italie de grands stades, organisé un Championnat du monde de football, élaboré la mise en scène de matchs, exploité au maximum les victoires de l'équipe nationale présentée comme un authentique substitut de la nation elle-même et incarnant ses principales qualités. C'est ainsi que Mussolini a intégré l'organisation du sport dans un discours politique repris très vite après par Hitler et les nazis, pour déboucher sur l'organisation des Jeux olympiques de Berlin en 1936, qui furent, rappelons-le, les premiers Jeux télévisés. Autre exemple : celui des États communistes et l'excessive importance politique accordée par ces régimes aux victoires sportives, en particulier dans les compétitions internationales. Sport et manipulation politique des masses sont, au xxe siècle, intimement liés.

On observe que des groupes d'extrême droite se constituent qui glorifient certaines équipes de football. Pour eux, l'équipe de football est en quelque sorte, comme pour Mussolini, l'incarnation des principales valeurs de leur communauté. Certains supporters se tatouent même sur le visage les couleurs nationales. Ils « incorporent », ils inscrivent sur leur corps les couleurs de leur équipe. Et, dans des périodes troubles comme celles que nous vivons, toutes ces attitudes, qui paraissent assez folkloriques en temps ordinaire, peuvent déboucher sur la xénophobie ou sur le rejet de ceux qu'on qualifiera de « faibles » parce qu'ils n'appartiennent pas au groupe possédant la force pour la victoire.

Le premier geste du champion, dès qu'il a franchi la ligne d'arrivée, consiste désormais à se précipiter vers son drapeau national pour, littéralement, s'y draper. Cela devient un rituel, une norme. Il n'y a plus un seul champion qui ne coure vers le drapeau pour faire un tour d'honneur, sanglé dans les couleurs nationales.

L'association télévision-sport-nationalisme conjugue les trois principaux phénomènes de masse contemporains, les trois fascinations centrales de cette fin de siècle. Cela, en soi, constitue l'un des faits politiques majeurs de notre temps, et une composante irrationnelle de la dureté sociale de l'époque.

L'irrationnel gagne aussi la politique. N'a-t-on pas vu, lors de récentes élections au Royaume-Uni et en France, apparaître un « Parti de la loi naturelle » proposant fort sérieusement, pour sortir de la crise, de « développer la méditation transcendantale » et d'encourager le « vol yoguique » ? L'ancien ministre de la Culture, le socialiste Jack Lang, n'a-t-il pas fait construire à Blois, ville dont il est maire, un Centre national des arts de la magie et de l'illusion ?

Seul l'argent fait le bonheur, a-t-on répété ces dernières années, à l'époque de « l'argent roi » et du néolibéralisme triomphant, quand le seul but digne d'une vie était de s'enrichir. Le citoyen ordinaire n'avait d'autre possibilité d'atteindre le paradis sur terre qu'en gagnant à l'une des multiples tombolas magiques. Mais, pour gagner, il faut avoir de la chance. Ce qui est, astrologiquement parlant, une affaire de bonne étoile. L'incertitude du futur et la frénésie des jeux ont donc conduit les hordes de prétendants à la fortune vers les nouvelles générations de mages, de voyants et d'extralucides. Par téléphone, par Minitel ou simplement devant les caméras de la télévision, ils prédisent l'avenir, précisent les chiffres porte-bonheur ou les couleurs de la chance…

Plus de vingt mille sorciers modernes, voyants, astrologues et autres haruspices officiels avec l'aide de quelques dizaines de marabouts venus d'Afrique suffisent à peine, en France, à répondre aux angoissantes demandes de quelque quatre millions de clients réguliers. L'ésotérisme se trouve en pleine expansion ; la moitié des Français consultent régulièrement leur horoscope, et le tirage des revues d'astrologie ne cesse d'augmenter (deux d'entre elles dépassant les cent mille exemplaires).

Le boom de cette industrie divinatoire (tarots, cartes, talismans, chiromancie, guérisseurs, radiesthésie) correspond à une régression profonde de l'individu. Celui-ci en vient à admettre que le « ciel de naissance » peut déterminer, de manière absolue, sa biographie. Ainsi, le « destin astral » interprété par le voyant remplace en ces temps de superstitions la lecture des voies de la providence effectuée naguère par le prêtre.

L'obscurantisme séduit de plus en plus certains esprits rebutés par la complexité des réalités technologiques nouvelles, choqués par l'irrationnelle horreur économique. À la faveur de cet obscurantisme se sont déjà épanouis à travers le monde des « révolutions conservatrices » et divers fondamentalismes : islamiste en Iran, puritain aux États-Unis, ultra-orthodoxe en Israël, etc.

Mais il pourrait demain, lorsque la crise aura encore amplifié les frayeurs, déchaîner de plus graves pulsions destructrices. Et il sera tentant de chercher aux difficultés accrues de commodes boucs émissaires. Que certains hommes politiques désignent déjà : « Nous risquons d'être, comme le peuple romain, envahis par les peuples barbares que sont les Arabes, les Marocains, les Yougoslaves et les Turcs, a déclaré un ancien ministre belge de l'Intérieur, Joseph Michel. Des gens qui arrivent de très loin et qui n'ont rien de commun avec notre civilisation. » Des idées séniles peuvent renaître ainsi dans des corps plus jeunes et devenir populaires.

Dans les années trente, le romancier Thomas Mann en avait pressenti le danger : « L'irrationalisme qui devient populaire est un affreux spectacle. On sent qu'il en résultera fatalement un malheur. » Dans l'actuel climat de pessimisme culturel et alors que resurgissent les questions nationale et sociale, de nouveau rôdent, en Europe, les forces de l'extrême droite. Elles demeurent à l'affût des déceptions de tous ordres qu'un libéralisme désincarné ne manque pas de susciter. Ici et là, en Europe occidentale notamment, s'installe déjà une sorte de xénophobie tranquille que mille (mauvais) arguments tentent de justifier.

La déraison se nourrit d'ignorance et de crédulité, de mythes et de passions, de foi et de frayeurs. Ce sont les nourritures de toute religion, de toute superstition. Et le traumatisme économique que subissent actuellement les sociétés européennes risque de transformer ces nourritures en élixirs. Pour une nouvelle barbarie.

Le nazisme s'était enraciné dans une Allemagne en désarroi, il a su profiter de l'impact de la dépression économique, de la mutation convulsive du capitalisme et du traumatisme national. C'est l'explosif mélange auquel l'Europe est de nouveau confrontée. Les citoyens sauront-ils se mobiliser pour éviter que se reproduise le néfaste précédent?

# LE MATIN DES TRIBUS

Pour expliquer dans quel monde nous entrons après la disparition de l'Union soviétique et la fin de la guerre froide, le professeur américain Samuel Huntington, dans un retentissant article, publié en 1993, affirmait : « Mon hypothèse est que, dans le monde nouveau, les conflits n'auront pas essentiellement pour origine l'idéologie ou l'économie. Les grandes causes de division de l'humanité et les principales sources de conflit seront culturelles. Les États-nations continueront à jouer le premier rôle dans les affaires internationales, mais les principaux conflits politiques mondiaux mettront aux prises des nations et des groupes appartenant à des civilisations différentes. Le choc des civilisations dominera la politique mondiale. Les lignes de fracture entre civilisations seront les lignes de front de l'avenir. »

Il ajoutait : « Le sentiment d'appartenance à une civilisation va prendre de plus en plus d'importance dans l'avenir, et le monde sera dans une large mesure façonné par les interactions de sept ou huit civilisations majeures : à savoir, les civilisations occidentale, confucéenne, japonaise, islamique, hindouiste, slave orthodoxe, latino-américaine et, peut-être, africaine. Les plus importants conflits à venir auront lieu le long des lignes de fracture culturelles qui séparent ces civilisations. »

Immédiatement, ces thèses allaient soulever une formidable polémique mondiale, aussi virulente que celle qu'avait suscitée l'essayiste Francis Fukuyama avec sa célèbre idée de la «fin de l'histoire». Dans l'ensemble, les réfutations l'emportaient, et de nombreux auteurs — tout en constatant que la plupart des conflits récents (Congo, Rwanda, Liberia, Bosnie, Tchétchénie, Proche-Orient, Algérie, sud du Soudan, Cachemire, Sri Lanka, Chiapas) ont une importante dimension culturelle — reprochèrent à Samuel Huntington ses simplifications politiques, son découpage grossier des frontières civilisationnelles et, surtout, son appel au sursaut de l'Occident pour résister à une prétendue offensive de l'islam et du confucianisme.

Ces thèses ont indiscutablement encouragé la xénophobie ambiante aux États-Unis et dans plusieurs pays européens ; elles ont accrédité l'idée que l'islam, en particulier, était le nouvel

« ennemi total » de l'Occident. On en a eu une preuve lorsque, après l'abominable attentat d'Oklahoma, le 19 avril 1995, les médias américains (mais aussi européens) désignèrent immédiatement « la filière islamiste » comme « l'auteur le plus probable » de l'infamie. Avant qu'on ne découvre que les monstres appartenaient à l'extrême droite américaine, blanche et chrétienne...

On peut reprocher à Huntington de parler de « frontières sanglantes de l'islam » quand il pourrait tout aussi bien évoquer les « frontières sanglantes de la chrétienté » orthodoxe et catholique dans les Balkans ou au Caucase, ou les « frontières sanglantes de l'hindouisme » au Cachemire et au Sri Lanka, ou encore les « frontières sanglantes des intérêts des grands États européens ou américains » dans les lignes de frontière entre le Nord et le Sud.

Peut-on diviser le monde contemporain et son histoire entre quelques grandes civilisations cohérentes, aux contours bien identifiables ? De tels concepts globalisants ne sont-ils pas fondés sur l'hypothèse de « sujets purs », largement mythiques et mystifiants ? Peut-on ignorer l'interpénétration des cultures ? Peut-on sous-estimer les effets de mélange, de métissage et, en fin de compte, de modernisation qu'ont entraînés les colonisations ?

Il n'y a pas d'étanchéité des formations humaines, cultuelles et culturelles. L'histoire de l'humanité est le récit des échanges de tous ordres entre les êtres humains. L'islam est pétri de sources antiques, juives et chrétiennes. On trouve, en Inde, des sanctuaires musulmans fréquentés surtout par des hindous et, en Afrique du Nord, des tombeaux de saints juifs qui reçoivent une majorité de pèlerins musulmans.

Ces imbrications se multiplient et s'intensifient de nos jours en raison de l'extension planétaire du modèle urbain occidental, de l'adoption universelle d'une même organisation structurelle de l'État, et, surtout, de la formidable puissance des nouveaux médias de masse qui diffusent d'identiques manières de se comporter, de consommer ou de se distraire, et qui répandent un même imaginaire, celui de la *world culture*.

Au point que, face aux thèses de Huntington, certains soutiennent qu'il n'y a plus qu'une « civilisation unique », celle du capitalisme, et que les prochains conflits seront en quelque sorte des guerres civiles d'un genre nouveau. Au sein d'une même civilisation universelle, il n'y aura plus de guerre entre les nations, ni guerre entre les civilisations, mais, si les inégalités continuent de s'accroître, nous assisterons à des affrontements de plus en plus violents entre les exclus et les inclus, les laissés-pour-compte et les « nouveaux maîtres du monde ».

Nul ne peut plus se sentir en sécurité au sein d'une identité cohérente, à l'abri de formes culturelles diverses, nouvelles. Cette coexistence peut parfois se révéler pénible. Elle demeure nécessaire et enrichissante. Ne serait-ce que pour éloigner la néfaste tentation de la pureté ethnique, culturelle ou religieuse.

C'est cette tentation qui fut à l'origine des guerres en Yougoslavie de 1991 à 1996. Et ceux qui en doutaient ont eu, quatre ans durant, sous leurs yeux dessillés le paradigme yougoslave. L'exemple que la barbarie survit encore au milieu de la civilisation moderne. En pleine Europe. L'inhumanité, la cruauté, la férocité des combats qui opposèrent Serbes, Croates et Bosniaques consternent et révoltent. Pourquoi cette sale guerre ? L'identité ? Le passé ? Mais ces trois peuples possèdent tant de traits communs — tous sont slaves, parlent la même langue — qu'ils ont cherchés durant des siècles, en luttant contre leurs ennemis extérieurs, à s'unir pour constituer une même nation, celle des Slaves du Sud...

Yougoslavie signifie : « pays des Slaves du Sud ». Aux deux tiers, ceux-ci, avant 1918, étaient sujets de l'Empire austro-hongrois. Certains, les Slovènes, relevaient de l'administration autrichienne; d'autres, les Croates, de l'administration hongroise; les Yougoslaves indépendants (parmi lesquels de nombreux musulmans) se partageant entre le royaume de Monténégro et celui de Serbie.

Slovènes et Croates sont catholiques et utilisent l'alphabet latin; les Serbes, orthodoxes, écrivent en caractères cyrilliques; d'autres enfin sont musulmans, écrivent pour l'essentiel en caractères cyrilliques et ne sont devenus une nationalité à part entière (les musulmans) qu'à l'époque de Tito... En dépit de ces différences, un puissant désir d'unification s'est manifesté depuis fort longtemps car les trois quarts de ces populations parlent une seule et même langue : le serbo-croate.

C'est pourquoi, après l'effondrement de l'Autriche-Hongrie en 1918, l'élan pour créer un État national débouchera, le 1er décembre 1918, sur l'unification yougoslave et la proclamation d'un royaume des Serbes, Croates et Slovènes.

L'exaltation des origines, de l'identité, la mythification de l'histoire et le partage de valeurs semblables suffisent-ils pour forger une nation ? Pour créer, chez le citoyen, le sentiment nouveau d'appartenir à une patrie commune ? Autant les différences furent minimisées dans la marche vers l'unification, autant, à peine celle-ci obtenue, elles constituèrent le ferment de querelles qui devaient tragiquement empoisonner la vie de cet État yougoslave, menacé d'éclatement. Le nationalisme avait cimenté le pays, les nationalismes le disloquaient.

Historiquement, le nationalisme moderne est apparu, au XIXᵉ siècle, en Allemagne pour s'opposer au projet universaliste de la Révolution française. Contre la perspective d'un monde uniforme et régi par les idées abstraites du rationalisme, les nationalistes opposèrent des particularismes sacralisés : la terre, la langue, la religion, le sang. Chaque fois que menace de s'imposer l'utopie d'une société universelle et parfaite, le nationalisme resurgit avec fureur. Le communisme internationaliste était une de ces utopies, comme l'est actuellement celle du marché sans frontières et l'universalisme économique imposant partout les mêmes normes de production et le même style de vie.

Contre de telles utopies, le nationalisme est-il le bon recours? Le nationalisme ne constitue-t-il pas lui-même une régressive utopie? Une communauté, parce que parlant la même langue, aurait-elle magiquement supprimé toutes les tensions et tous les conflits en son sein?

Le président de la Croatie a, le premier, émis l'idée de démembrer la Bosnie-Herzégovine (peuplée à 40 % de musulmans) afin d'élargir le territoire de sa république aux régions peuplées de Croates. À quoi le président bosniaque répondit en se rendant en Turquie, en Libye et en Iran, pour chercher « un soutien politique ».

Résultat : dès le 6 avril 1992, Sarajevo était sous les bombes et allait connaître quatre ans de destructions, de souffrances, de mort... Cette ville, où ont coexisté harmonieusement durant des centaines d'années trois communautés — croate, musulmane et serbe —, est devenue le symbole de l'intolérance et de la folie raciste. Les leçons du second conflit mondial et du procès de Nuremberg, la condamnation des crimes contre l'humanité et des guerres de conquête conduites au nom de théories raciales furent oubliées.

La communauté internationale s'est finalement résignée, par le biais des accords de Dayton qui préservent la forme mais tranchent sur le fond, à un « partage ethnique » de la Bosnie-Herzégovine. Elle a admis une régression de l'esprit et de la raison politique, et établi un funeste précédent. Qui a été invoqué au Kosovo et dans d'autres poudrières européennes : Albanie, Macédoine, Voïvodine, Slovaquie, Roumanie, Moldavie, Transdniestrie, Crimée, pays Baltes, Caucase..., dont l'explosion pourrait embraser l'ensemble du Vieux Continent.

Et l'on mesure maintenant l'impéritie de

ceux qui ont encouragé la dislocation hâtive de la Fédération yougoslave. En reconnaissant, dès le 23 décembre 1991, l'indépendance de la Slovénie et de la Croatie, Bonn, le Vatican et l'Union européenne ont agi avec une tragique précipitation. Ils ont sous-estimé le problème des minorités et celui des frontières intérieures. Ils ont ainsi encouragé la montée de forces ultranationalistes qui, partout, rêvaient d'États « ethniquement homogènes ».

Nul n'ignorait la farouche hostilité de l'importante minorité serbe de Bosnie (33 % de la population) à la création d'un État indépendant qui serait dominé par les musulmans (42 % de la population) dont le leader, Alija Izetbegovic, est l'auteur d'un manifeste intitulé *Pour un État islamique...* Tout cela était clair depuis que les élections libres de 1990, en Bosnie, avaient balayé les formations modérées laïques et multi-ethniques, et révélé la puissance des partis ultranationalistes au sein des trois principales communautés.

Le conflit dans l'ex-Yougoslavie a donné lieu à de telles injustices et de telles atrocités que la non-intervention a été un crime politique comme elle le fut en 1936-1939, durant la guerre d'Espagne, quand Madrid assiégé réclamait l'aide des pays démocratiques pour sauver la République agressée par le fascisme. Les forces de l'ONU, en mission humanitaire, ont échoué ; l'intervention américaine de 1995 a été guidée par la volonté d'imposer une solution politique. Celle-ci s'est contentée d'accepter, dans les faits, la création d'une sorte de « bantoustan » musulman.

L'affligeante impuissance de l'Europe face à la tragédie yougoslave a permis de mesurer non seulement son nanisme politique mais aussi ses paralysantes contradictions. Craintes, en France (qui, parmi les premiers, a reconnu la « vocation à l'indépendance » de la Croatie), de voir l'Allemagne étendre son aire d'influence. Peurs, au Royaume-Uni, en Belgique, en Italie et en Espagne, d'encourager les séparatismes et, par effet boomerang, la dislocation de leur propre unité nationale. Crainte aussi, à l'heure où se construit et se renforce l'Union européenne, d'une balkanisation générale du Vieux Continent. Car la Yougoslavie n'a été qu'une sorte de dramatique laboratoire où l'on peut mesurer les périls qu'entraîne la fin de la guerre froide.

En effet, pour s'opposer au régime communiste et à son inefficacité économique, les citoyens des pays de l'Est et de l'ex-URSS avaient puisé dans leur désir démocratique et leurs ambitions nationalistes. Ces régimes sont tombés, mais ici et là (Albanie, Roumanie, Serbie, Bulgarie, Russie) les pénuries demeurent

et même, pour le plus grand nombre, s'aggravent. Avoir quitté un système de tyrannie pour
vivre plus mal, cela a-t-il un sens ? D'autant que
l'ancien système, certes absurde et liberticide,
garantissait cependant à tous une certaine sécurité matérielle.

Le nouveau régime démocratique apparaît
comme un leurre, pis, comme un obstacle. Le
malaise général trouve ainsi dans le nationalisme et dans l'exaltation passionnée des « vertus identitaires » un moyen facile de distraction
et de mobilisation. Il trouve dans l'« autre »
— l'étranger, le métèque, l'immigré — un coupable tout désigné.

Seule la satisfaction des besoins de ces sociétés pourrait calmer le jeu. Mais ces besoins sont
gigantesques. À titre de comparaison, l'Allemagne, mettant en difficulté sa propre économie, l'une des plus puissantes du monde, et
celles de ses partenaires européens, a dépensé,
en sept ans, l'astronomique somme de 1 000 milliards de dollars pour venir en aide à l'ex-RDA et
à ses 18 millions d'habitants. Or, à l'Est, ce sont
près de 400 millions de personnes qui attendent
ce même niveau d'aide… Et l'Ouest n'ose
avouer — après avoir tant claironné sa victoire
sur le communisme — qu'il n'est pas en mesure
d'assumer cette victoire et de mettre sur pied
une dizaine de nouveaux plans Marshall… « Le

marché est efficace mais il n'a ni cerveau ni cœur », constate le professeur Paul Samuelson, prix Nobel d'économie.

Une telle myopie politique peut conduire au pire. L'histoire nous apprend que lorsqu'une grave crise économique coïncide avec le déchaînement de passions nationalistes, les pires malheurs sont à craindre. Saisie par les nationalismes et les surenchères populistes, demain c'est la Russie qui pourrait, à son tour, s'embraser. Le président Boris Eltsine s'est retrouvé à la tête d'une ancienne métropole coloniale ; et chacune de ses décisions attisait ou renforçait les nationalismes périphériques comme la tragique affaire de Tchétchénie l'a prouvé en 1995-1996, et comme les conflits du Caucase l'avaient précédemment démontré de 1991 à 1995.

Les conflits du Caucase ressemblaient fortement à ceux qui ont endeuillé l'ex-Yougoslavie, tant par les fanatismes qui les ont provoqués (ultranationalisme, irrédentisme, haine ethnique) que par leurs violences et leurs atrocités (enfermements d'otages, massacres de civils, viols collectifs).

Pour quelles énigmatiques raisons ont-ils attiré moins l'intérêt des grands médias ? Pourquoi ont-ils déclenché si peu de passions dans les chancelleries ? Les instances internationales elles-mêmes — ONU, OTAN, UEO, CSCE — ont à peine daigné se pencher sur la situation.

Quatre guerres ont pourtant eu lieu, récemment, au Caucase. La plus ancienne mit aux prises Arméniens et Azéris à propos de l'enclave du Haut-Karabakh, peuplée d'Arméniens mais rattachée à l'Azerbaïdjan, qui s'est opposé par les armes, infructueusement jusqu'à présent, à la sécession de la région et à son annexion par Erevan.

Un autre conflit, de même nature, opposa la Géorgie à la petite République autonome d'Ossétie du Sud (100 000 habitants) qui souhaitait rompre avec Tbilissi et se fondre en une seule entité avec l'Ossétie du Nord, dans le cadre de la Fédération de Russie.

L'Ossétie du Nord se trouvait elle-même en guerre contre sa minorité ingouche, laquelle, déportée par Staline en 1945, tente depuis la fin des années cinquante de récupérer ses terres ancestrales et notamment la ville de Vladikavkaz, devenue capitale des Ossètes…

La quatrième guerre s'est déroulée en Abkhazie, République autonome située à l'ouest de la Géorgie, sur les bords de la mer Noire, qui a autoproclamé, en juillet 1992, son indépendance et a affronté depuis, victorieusement, les offensives des milices géorgiennes.

Dans tous les camps, ces guerres ont donné

lieu à des horreurs sans nom ; la sinistre « purification ethnique » s'est répétée, ainsi que la
torture systématique ou les tueries de masse.
Les civils ont été, ici encore, les principales victimes ; les tués se comptèrent par milliers, les
réfugiés dépassant le million et s'entassant dans
des villes où souvent tout manquait, chauffage,
électricité, nourriture…

Ces conflits reflètent le chaos qui préside à
la décolonisation de l'empire soviétique. Cet
immense pays déglingué peut-il se permettre
de perdre du temps en querelles archaïques ?
Les équipes économiques qui se sont succédé
au pouvoir, autour de Boris Eltsine, ont appliqué des « thérapies de choc » pour accélérer la
transition vers l'économie de marché. À un
dogme nécrosé en a succédé un autre : celui de
l'ajustement structurel prôné par les hérauts
de l'ultralibéralisme. Les prix ont augmenté
brutalement, les « dégraissages » d'effectifs se
sont multipliés dans les usines et les entreprises. Dans un pays où la vie quotidienne était
déjà un enfer, le nombre de pauvres, d'exclus
et de chômeurs a explosé.

Tous les ingrédients ont donc été réunis
pour que les désordres s'amplifient en Russie.
L'Occident redoutait la puissance soviétique ; il
découvre, avec effroi, qu'il craint plus encore
son implosion, son effondrement. Faudra-t-il,

au nom de l'«impératif économique», enfermer à nouveau les libertés dans un sarcophage?

Aider sérieusement la Russie et l'Europe balkanique semble hors de question, d'autant que le mécontentement des classes moyennes s'étend également au sein de l'Union européenne; ici aussi, l'extrémisme et le racisme se développent. Dans une situation générale de désillusion, les citoyens européens se sentent glisser vers un monde inhumain. Du cœur des ténèbres, resurgissent les forces obscures qui menacent la démocratie.

Dans une Europe en crise sociale et morale, hantée par l'horreur économique, et où la classe politique semble avoir perdu le contact avec l'opinion publique, le désarroi gagne facilement les cœurs. La peur légitime du lendemain, alors que s'étend le chômage de masse, favorise la montée de la xénophobie et du racisme.

On a pu le vérifier, en février 1997, en France, où le gouvernement, sous prétexte de combattre l'immigration clandestine, n'a pas hésité à proposer un projet de loi à caractère xénophobe. Projet combattu par une partie de la société et, en particulier, par de nombreux créateurs et intellectuels.

Comme nul autre État de l'Union européenne, à l'exception de l'Autriche, la France connaît, depuis quinze ans, une forte poussée de l'extrême droite représentée par le Front national. Ce parti et tout particulièrement son chef, Jean-Marie Le Pen, ont désigné, de manière démagogique, les travailleurs immigrés comme la cause principale des difficultés des Français. Avec des précautions de langage minimales, ils excitent le racisme ambiant et dénoncent la présence surtout des Maghrébins et des Africains dont ils promettent officiellement, dans leur programme, l'expulsion en masse après leur arrivée au pouvoir.

Empêtrés dans la pensée unique, piégés par la mondialisation et le totalitarisme ultralibéral, désemparés par un désastre social qui prive actuellement d'emploi 5 millions de personnes, les partis de gauche et de droite qui se sont succédé à l'exécutif, à Paris, depuis 1981 ont échoué à enrayer l'ascension de l'extrémisme. Gauche et droite, impuissantes à se distinguer nettement dans le domaine économique, ont préféré s'affronter sur des questions de société. En particulier sur cette affaire de l'immigration, faisant le jeu des néofascistes. Ainsi, sous prétexte de lutter contre le travail clandestin, le Parti socialiste a renié sa promesse et refusé d'accorder le droit de vote pour les élections locales aux étrangers, tandis que la droite renforçait la législation, pourtant déjà draconienne, visant à contrôler l'entrée et le séjour des étrangers.

Peu à peu, de surenchère en surenchère avec l'extrême droite, et en toute bonne conscience, une atmosphère quasi fasciste de traque à l'étranger s'est installée. À laquelle ont scandaleusement contribué les lois Méhaignerie-Pasqua, en 1993, jetant le soupçon sur tous les étrangers.

L'immigration n'est pas la préoccupation centrale des Français, tourmentés, en premier lieu, par le chômage. Toutes les enquêtes le prouvent. Et la France est loin de détenir le record du monde de l'accueil d'étrangers. Des États comme l'Allemagne, par exemple, en ont davantage (7,6 % de sa population), sans parler des pays qui se définissent avec orgueil et fierté comme des « nations d'immigrés » : États-Unis, Canada, Australie, Nouvelle-Zélande…

Depuis la fin du XVIII<sup>e</sup> siècle, la France, à la différence de tous les autres États européens, est un pays d'immigration. Pour des raisons certes démographiques, mais aussi et tout autant politiques : c'est le seul État d'Europe qui ait une conception laïque et républicaine (non ethnique) de la nation. Elle est porteuse d'un message universaliste de liberté et de défense des droits de l'homme. Elle constitue historiquement un refuge, un havre, un asile pour tous les démocrates persécutés. Au cours des décennies, c'est sa grandeur, elle a accueilli et intégré des centaines de milliers d'Italiens, de Belges, de Polonais, d'Arméniens, d'Espagnols, de juifs d'Europe centrale, de Russes, de Portugais, d'Algériens, de Vietnamiens, etc. Et elle le fait aujourd'hui — n'en déplaise à ceux qui reprennent l'archaïque argument des « étrangers inassimilables » — aussi efficacement que naguère. Au point qu'elle compte plus de 18 millions de citoyens ayant au moins l'un des grands-parents étranger, soit près d'un Français sur trois !

Dans un vieux péplum d'Anthony Mann, *La Chute de l'Empire romain* (1964), l'empereur-philosophe Marc-Aurèle assiste, vers l'an 180, aux confins des nouveaux territoires de son immense empire, au défilé victorieux de ses légions ; elles sont essentiellement composées de mercenaires scythes, parthes, germains, ibères, pictes, numides, gaulois, etc., qui, dans leurs tenues traditionnelles, passent devant lui et le saluent... en leur langue. Marc-Aurèle, stoïque, comprend soudain la vanité du projet d'homogénéiser, d'uniformiser, de latiniser tous les peuples de l'empire. La chute de Rome lui paraît dès lors inéluctable, chacun de ces peuples s'en partagera les dépouilles...

En regardant à la télévision, en juillet 1996, le défilé des délégations nationales durant la cérémonie d'ouverture des Jeux olympiques d'Atlanta, comment ne pas penser à cette symbolique séquence du film de Mann ? Comment ne pas songer également à la renaissance des passions nationalistes, séparatistes, que le sport semble, paradoxalement, stimuler ? Le nationalisme est le sentiment politique le plus puissant en Europe depuis 1789. C'est un sentiment contradictoire qui, dans son versant romantique, émeut et ne peut qu'emporter l'adhésion de tous ceux qu'exalte la libération des peuples ; mais il possède aussi un aspect funeste qui peut vite devenir dominant et le conduire à l'aveugle exaltation des « valeurs nationales », au mépris et à l'exclusion de l'Autre. Ces sympathiques petits pays que sont, par exemple, la Lituanie, la Lettonie et l'Estonie connurent ainsi, dans les années vingt, à peine leur indépendance obtenue, des dictatures qui, au nom du nationalisme, traitèrent leurs nombreuses minorités avec haine, s'acharnant sur elles et les considérant comme de véritables ennemis… Tant il est vrai, comme le dit Karl Popper, que « plus on tente de revenir à l'époque héroïque de la communauté tribale, plus on tombe dans l'Inquisition, la police secrète et le gangstérisme à masque romantique ».

Derrière le discours nationaliste, on entend souvent poindre le rêve d'un pays « ethniquement pur ». Rêve absurde car, comme l'affirme l'historien britannique Eric J. Hobsbawn : « Il n'y a pas plus d'une douzaine d'États ethniquement et linguistiquement homogènes parmi les quelque 170 États du monde, et probablement aucun qui englobe la totalité de la "nation" dont il se réclame. » Mais comment éviter cette quête dangereuse et illusoire ?

Une démocratie a-t-elle les moyens d'empêcher qu'une fraction de son territoire, arguant de sa singularité ethnoculturelle, aspire à sa pleine souveraineté et réclame son indépendance ? Vaclav Havel, l'ancien président de la Tchécoslovaquie, confronté au désir de sécession de la Slovaquie, a estimé que non. Et, en démissionnant le 20 juillet 1992, il a admis : « Je ne veux pas être un frein à l'évolution historique. Les pressions pour l'émancipation de la société slovaque se sont révélées plus fortes que nous, fédéralistes, ne le pensions ; et je dois les respecter. »

Une situation du même type pourrait se produire au Canada. À cet égard, le Québec est un cas d'école. Que certaines régions de l'Union européenne observent avec le plus grand intérêt. Parce que, dans un cadre démocratique et de manière pacifique, il pose, depuis plusieurs décennies, la question de sa souveraineté, de son indépendance, bref, de sa séparation du Canada. Mais il le fait désormais dans un contexte géopolitique indiscutablement modifié par l'Accord de libre-échange nord-américain (ALÉNA) liant le Canada, les États-Unis et le Mexique.

Or, tout projet d'intégration de ce type suppose l'adoption de règles communes qui diminuent sur tel ou tel aspect, en particulier dans le domaine économique, la souveraineté des États. Parce que les centres de décision s'éloignent, les États — naguère ciments de l'unité — voient leur cohésion nationale se desserrer, se distendre, et parfois se fragmenter. Surtout si certains de ces fragments possèdent quelques traits culturels (la langue surtout) distincts. C'est comme si la force de la fusion provoquait de multiples fissions.

De surcroît, l'aspiration québécoise coïncide actuellement avec le phénomène majeur de la mondialisation. Celle-ci, en encourageant la déréglementation, contraint également les États à abandonner des pans entiers de leur souveraineté, dépouille les gouvernements d'importantes prérogatives, et tend à imposer partout, sans tenir compte des singularités culturelles locales, d'identiques comportements économiques. Dans un tel contexte, comment se pose la question nationale ?

Après le référendum du 30 octobre 1995 et la défaite d'extrême justesse des partisans de l'indépendance du Québec (49,4 % des voix), cette interrogation reste d'actualité. Certes Lucien Bouchard, Premier ministre depuis le 29 janvier 1996, a rappelé que la souveraineté demeure l'objectif du Parti québécois (au pouvoir depuis 1994) mais que la loi lui interdit d'organiser un second référendum sur le même sujet pendant le même mandat. Il faudra donc attendre pour que, si le Parti québécois gagne une fois encore les élections législatives, les citoyens se prononcent à nouveau. Dès à présent les sondages indiquent qu'une majorité d'entre eux (55 %) sont partisans de l'indépendance, et que celle-ci est *inéluctable* pour 75 % des Québécois.

À Ottawa, le Premier ministre du Canada, Jean Chrétien, semble décidé à réviser le fédéralisme dans un sens plus favorable aux aspirations du Québec, et à reconnaître enfin, notamment, le caractère *distinct* de la société québécoise. Mais d'autres fédéralistes se comportent en «mauvais gagnants» et — au nom du principe «si le Canada est divisible, le Québec l'est aussi» — n'hésitent pas à évoquer une «partition» de la Belle Province. Afin de préserver le droit des anglophones du Québec à demeurer liés au Canada, ils proposent d'accorder l'indépendance aux seules circonscriptions où le *oui* l'aura emporté.

Ils encouragent également les populations autochtones (Inuit et Indo-Américains) à réclamer demain à leur tour l'indépendance à l'égard du Québec afin de réduire celui-ci à une petite « région en forme de saucisse consistant surtout dans des fermes entre l'est de Montréal jusqu'à la ville de Québec. »

De telles idées sont irresponsables et ont provoqué, partout où elles ont été appliquées, de l'Irlande du Nord au Caucase, des guerres interminables. Qui plus est, comment le Canada mettrait-il en application à l'encontre du Québec un principe de partition qu'il a officiellement et militairement condamné dans l'ex-Yougoslavie quand le président serbe, Milosevic, a encouragé la partition de la Bosnie-Herzégovine en se fondant précisément sur le principe : « si la Yougoslavie est divisible, la Bosnie l'est aussi » ?

On le voit, le référendum du 30 octobre 1995 n'a rien réglé. L'incertitude demeure sur l'avenir institutionnel de la Belle Province. Pour faire face à cette crise, Lucien Bouchard a organisé une conférence sur le devenir économique et social du Québec. Il a procédé, en fait, à un véritable *aggiornamento* du Parti québécois qui, à son tour, délaisse le projet social-démocrate pour adopter franchement la voie néolibérale. La priorité absolue est la fin des déficits publics et la réduction du poids de la dette.

Cela affectera-t-il le projet nationaliste ? Moins qu'on ne le pense, car ce projet, à l'heure de la mondialisation, vise désormais tout autant à la séparation qu'à l'intégration. Séparation du Canada pour mieux s'associer, souverainement, à lui dans un partenariat économique, étendu de préférence aux États-Unis et au Mexique.

En Europe aussi, les nationalistes qui rêvent d'indépendance pour la Flandre, le Pays basque, l'Écosse ou la Corse, n'envisagent nullement de sortir de la dépendance de l'Union européenne…

Et le fait qu'une communauté ethnique soit peu nombreuse et son territoire peu étendu ne constitue pas, non plus, des freins à la revendication d'indépendance ; il y a d'ailleurs, aux Nations unies, plus de vingt États de moins de 250 000 habitants…

En ce matin des tribus, comment faire comprendre à ceux qui, en Europe et ailleurs, rêvent de « nations-États ethniquement purs » qu'un drapeau et un siège aux Nations unies ne leur permettront pas de résoudre, automatiquement, leurs contradictions sociales et économiques à l'heure de la mondialisation, et ne dissiperont pas, magiquement, leurs instinctives peurs de fin de millénaire.

# LES RÉBELLIONS À VENIR...

Une fois la guerre froide terminée, les citoyens du monde pensaient pouvoir rapidement bénéficier des «dividendes de la paix». En fait, il n'en a rien été. La longue séquence 1945-1990 n'avait vu le gel de nombreuses questions conflictuelles (frontières, nationalités, irrédentismes, minorités) qu'à cause des pressions exercées par les deux superpuissances, États-Unis et URSS. Mais, dès la disparition de l'Union soviétique, les mille crises en attente ont soudain, et presque simultanément, explosé : «Avec la fin de la guerre froide, constate Lester Thurow, professeur d'économie au Massachusetts Institute of Technology (MIT), on est revenu à la situation qui avait finalement dominé pendant l'essentiel de l'histoire de l'humanité, celle d'une grande fluidité des frontières.»

Le monde est devenu plus complexe et plus dangereux. Même si, dans la plupart des régions (en Europe de l'Est, dans l'ex-URSS, en Amérique latine, en Asie du Sud-Est, et même en Afrique subsaharienne), le modèle démocratique a gagné des adeptes. À cet égard, il faut remarquer qu'une importante aire géoculturelle — le monde arabe — est restée en marge de ce mouvement de démocratisation. Et cela en raison de la crise israélo-palestinienne et malgré les résultats de la guerre du Golfe.

À cet égard, six ans après la fin de la guerre du Golfe, aucune des grandes questions du Proche-Orient n'a trouvé un début de réponse. La destruction quasi apocalyptique de l'Irak, en février 1991, a laissé ce pays en proie aux ambitions de ses voisins et plongé dans l'instabilité. Au soulèvement du Kurdistan et à l'insurrection — brutalement étouffée — des chiites du Sud, sont venues s'ajouter les pénuries de tous ordres et les tragédies sociales (mortalité enfantine, épidémies, famines) causées par l'embargo décrété par l'ONU. La population vit un enfer. Mais le dictateur de Bagdad reste au pouvoir.

La guerre du Golfe n'a pas mis fin à l'instabilité chronique du Proche-Orient : l'autocratie se maintient en Arabie Saoudite ; la démocratisation au Koweït et dans les émirats paraît plus chimérique que jamais ; l'islamisme radical s'enracine et s'étend aussi bien en Égypte, qu'en

Jordanie ou au Liban; et le désengagement syrien de ce dernier pays est renvoyé aux calendes. Quant aux Kurdes, ils seront sans doute, une fois encore, sacrifiés au nom du réalisme politique; Ankara redoutant la création d'un État autonome à sa frontière orientale (au nord de l'Irak), qui pourrait devenir un exemple pour les dix millions de Kurdes de Turquie.

Finalement, des deux crises majeures de l'année 1991 — la guerre du Golfe et l'effondrement de l'Union soviétique — Israël aura été le grand bénéficiaire dans cette région. D'une part, la défaite de l'Irak et le maintien de l'embargo l'ont débarrassé d'un redoutable adversaire. D'autre part, l'implosion de l'URSS a accéléré l'arrivée d'immigrants ex-soviétiques, et renforcé la politique de peuplement devant permettre à Israël de gagner la bataille démographique.

Cette double victoire a été si nette qu'elle a raidi l'intransigeance des différents gouvernements israéliens qui se sont succédé depuis 1991. Le Premier ministre de l'époque, Yitzhak Shamir, n'admettant plus l'existence d'une quelconque «ligne verte» séparant Israël de la Cisjordanie, déclarait alors : «Les territoires appartiennent à Israël. Les juifs s'implanteront partout sur notre terre jusqu'au bout de l'horizon.» Au sein de son parti, le Likoud (droite), des « faucons » comme Ariel Sharon réclamaient une politique encore plus intransigeante. Car la grande tentation des extrémistes israéliens a toujours été de procéder à une expulsion massive des Palestiniens. Et, au sein du gouvernement Shamir, les partis d'extrême droite penchaient effectivement pour une solution radicale : déporter en masse la communauté palestinienne, effacer la trace de sa présence sur le territoire du « Grand Israël »…

Les événements de l'Est sont venus pourtant rappeler, entre 1989 et 1996, qu'on n'« efface » pas les peuples. Violences et déportations massives n'ont nullement entamé la volonté d'indépendance, par exemple, des Tchétchènes. Israël n'est-il pas le meilleur exemple d'un « peuple » dispersé par la force, dont le Temple fut rasé, et qui, dix-neuf siècles plus tard, cherche à se rassembler dans le foyer perdu ? Cette tragique expérience ne devrait-elle pas conduire le gouvernement israélien à une plus lucide appréciation des leçons de l'histoire ?

De toutes les guerres ethniques qui ensanglantent la planète, celle qui oppose Israéliens et Palestiniens est sans doute la plus ancienne. « Un conflit vieux de plus de cent ans », reconnaissait Yitzhak Rabin. Élu en juin 1992, celui-ci avait promis d'accélérer les négociations de paix entamées à Madrid le 30 octobre 1991.

L'ersatz d'autonomie qu'il a proposé aux Palestiniens par le biais des accords d'Oslo paraît tellement minime que les concessions consenties par l'Organisation pour la libération de la Palestine (OLP) ont discrédité celle-ci aux yeux d'une partie de la population tentée par le radicalisme islamiste.

Malgré la célèbre poignée de main entre Yitzhak Rabin et Yasser Arafat à Washington, le 13 septembre 1993, la reconnaissance mutuelle d'Israël et des Palestiniens, et la signature des accords d'Oslo, l'intransigeance du gouvernement israélien, sur le fond, n'a pas molli.

Avant d'être assassiné, en 1996, par un extrémiste juif, Yitzhak Rabin a continué de favoriser l'installation de colons dans les territoires occupés. Ces colons sont actuellement plus de 120 000. Et le successeur de Rabin, Benjamin Netanyahou, a répété, au mépris des résolutions des Nations unies et des recommandations de Washington, que le nombre de colons juifs à Jérusalem-Est et dans les implantations israéliennes de Cisjordanie serait doublé. Et que l'État palestinien — dont les Nations unies confirmèrent le droit à l'existence dès 1948 — ne sera pas reconnu.

Les deux parties, après cinquante ans d'affrontements, n'ont-elles pas assez vérifié que les solutions unilatérales, imposées par la force, conduisent à l'impasse ? Que les cinq guerres gagnées par Israël ne lui ont pas permis de remporter la bataille principale, celle de la paix ?

La sécurité d'Israël n'est plus menacée par des pays arabes. Aux yeux de Washington (qui lui accorde 3 milliards de dollars d'aide par an), Israël n'a plus l'importance stratégique du temps de la guerre froide. Le contexte régional se trouve en pleine mutation après la fin des guerres du Golfe et du Liban. Mais la région demeure une poudrière, où les achats d'armes ne cessent de s'intensifier car les facteurs d'incertitude se sont paradoxalement multipliés.

Et cependant, la victoire dans la guerre du Golfe a été, comme le souhaitait Washington, « totale et absolue ». À ce titre d'ailleurs, cette guerre aura montré l'une des données fortes du nouvel âge planétaire : l'abyssal fossé technologique qui sépare les pays riches des autres.

Si l'on considère le nombre de victimes militaires, de part et d'autre, dans ce conflit — environ 100 000 soldats irakiens, pour 115 Américains — le rapport (un pour mille) est unique dans l'histoire militaire du monde. Même les troupes d'Hernán Cortés, lancées à l'assaut du grand Empire aztèque en 1521, eurent des pertes plus importantes face à des adversaires qui, pourtant, ne connaissaient ni la roue, ni le fer, ni les chevaux, ni la poudre…

Cet écart technologique est une donnée majeure de notre temps. Il est révélateur d'une mutation de grande envergure qui pénalise brutalement le Sud. Et pas seulement en temps de guerre. Par exemple, en 1990, deux tremblements de terre d'intensité égale (7,2 dans l'échelle de Richter) et d'identique durée eurent lieu à San Francisco (États-Unis) et en Iran. Le premier fit 74 morts, le second 90 000...

L'accélération de la dynamique capitaliste, dopée par la révolution informatique qui innerve désormais les réseaux du pouvoir, de l'économie et de la culture, a fait vieillir tous les modèles. À l'Ouest, elle a provoqué une douloureuse reconversion industrielle au début des années quatre-vingt et le désarmement idéologique de la social-démocratie. À l'Est, elle a ruiné le modèle d'économie planifiée et entraîné, indirectement, l'effondrement du communisme. Au Sud, elle produit un décrochage brutal qui laisse les tiers-mondes comme figés, paralysés par leur propre retard relatif. Partout, cette accélération aggrave la perversion majeure du néolibéralisme : sa formidable aptitude à produire des inégalités.

À cet égard, l'Afrique noire, « mal partie » à l'aube des années soixante, est dans un gouffre. L'échange inégal s'est aggravé ; le spectre de la famine rôde en Éthiopie, au Congo-Zaïre, au

Rwanda, en Somalie, au Soudan, au Liberia, au Mozambique et en Angola ; le chômage est endémique ; la situation sanitaire effroyable (70 millions d'Africains pourraient mourir du Sida dans les deux prochaines décennies) ; le nombre de réfugiés ne cesse d'augmenter à mesure que des États sombrent dans des formes de violence extrême : le Liberia, la Somalie et le Rwanda hier ; le Congo-Zaïre, le Sierra Leone, ou le Soudan actuellement.

Accablée par de silencieuses tragédies, l'Afrique subsaharienne retournerait-elle « au cœur des ténèbres » où la situait déjà, dans les années vingt, le romancier britannique Joseph Conrad ? Longtemps marginalisé par un sous-développement chronique qui succéda à la période de la colonisation, le continent noir semble plus seul encore depuis la fin de la guerre froide et l'achèvement de l'affrontement Est-Ouest. La « rente géostratégique » elle-même s'est tarie dont profitaient bon nombre de dirigeants, et l'heure des réformes drastiques est arrivée. Partout s'exprime le puissant désir des citoyens de reprendre la parole et d'instaurer enfin la démocratie. À cet égard, l'Afrique connaît une révolution.

Dans ce continent meurtri, l'insolente prospérité de quelques-uns contraste fortement avec le désespoir du plus grand nombre, victime des malheurs et des fléaux qui s'abattent sur cette région. Les structures de l'État, péniblement mises sur pied dans les années soixante, s'effondrent ; les écoles, les dispensaires, les routes ont disparu de zones immenses ; les services publics ne sont plus assurés ; l'anomie s'étend ; les zones de non-droit prolifèrent ; la corruption se généralise ; l'économie se meurt.

Dans le nouvel ordre économique qui se dessine — et qui se caractérise par une intensification des échanges entre trois pôles dominants : Union européenne, Amérique du Nord et Japon-Asie-Pacifique —, l'Afrique est pratiquement exclue. Elle demeure, pour l'essentiel, spectatrice, au-delà des frontières de l'« économie globale ». Le Nord développé semble avoir de moins en moins besoin de ses produits ; et elle, de son côté, ne dispose pas de moyens pour acheter les biens ou les services du Nord. Même si la main-d'œuvre y est le meilleur marché du monde, rares sont les industries qui viennent s'y installer, redoutant de n'y point trouver les indispensables infrastructures de télécommunications et de transports ainsi qu'une stabilité politique et sociale. Ce que la plupart des États africains ne peuvent effectivement pas garantir.

En raison de ces carences, les coûts de fonctionnement des entreprises en Afrique sont au moins supérieurs de 50 % à ceux d'Asie, où les profits sont neuf fois supérieurs… C'est pourquoi également les investissements directs se sont pratiquement taris. Par exemple, au cours des années quatre-vingt, dix pays en voie de développement avaient reçu les trois quarts des investissements effectués dans les pays du Sud ; aucun d'eux n'était africain.

En même temps, les matières premières et les denrées qui représentent 94 % des exportations africaines ont vu leurs prix sur le marché mondial s'effondrer. Les prix du café, du coton et du cuivre ont chuté de 25 %, et ceux du cacao ne cessent de décliner depuis le milieu des années soixante-dix. À cela s'ajoutent de nouveaux facteurs aggravants : en raison de la récession qui frappe les pays riches, la demande des productions africaines a baissé ; et la tendance est à la consommation de substituts synthétiques remplaçant les produits naturels (poudres sucrantes à la place du sucre, arôme chimique de vanille à la place de la vraie vanille, etc.). Tendance qui assombrit davantage les perspectives du commerce extérieur africain.

Dans ces conditions, peut-on s'étonner que le continent noir ait continué de réclamer de l'aide et des crédits ? Sa dette extérieure a triplé en dix ans, passant de 63 à 183,4 milliards de dollars. Chiffre colossal si l'on songe qu'il dépasse la somme de tous les produits natio-

naux bruts (PNB) des 45 États de l'Afrique subsaharienne et leurs 550 millions d'habitants…
Mais relativement modeste si l'on sait que cette
somme équivaut à peine au PNB de la seule
Belgique et ses dix millions d'habitants…

Depuis 1968, la population du continent noir
a doublé, alors que sa production alimentaire
est inférieure de 20 % à celle de 1970. Cette
situation, scandaleuse, n'est pas le résultat de la
fatalité mais, très largement, de l'incurie des
hommes et en premier lieu de politiques agricoles suggérées par le Nord et exclusivement
orientées à l'exportation. Elle est aussi le résultat des désordres, des guerres et de l'insécurité
dans les campagnes qui poussent les ruraux à
l'exode et à rejoindre les villes. Aussi paradoxal
que cela puisse paraître dans un continent régulièrement ravagé par les famines, où 40 millions
de personnes souffrent de la faim et plus de
168 millions de malnutrition chronique, la
majeure partie des terres cultivables demeure à
l'abandon. Celles mises en exploitation le sont
avec des moyens archaïques : 80 % des cultures
sont le fruit de la seule énergie humaine (pour
les quatre cinquièmes, celle des femmes) ;
16 % de l'énergie animale ; et à peine 3 % de
machines agricoles. C'est pourquoi, s'il n'y a pas
un retour massif vers les campagnes et une
modernisation rapide de celles-ci, les importa-

tions alimentaires doubleront d'ici 2010, passant de 10 à 20 millions de tonnes par an ; et la dette extérieure continuera de s'alourdir.

Les villes, en raison de cet exode rural massif, ne cessent de se gonfler monstrueusement. On calcule que, au cours des deux prochaines décennies, quelque 500 millions de personnes (soit approximativement autant de personnes que compte le continent aujourd'hui) viendront s'installer dans les villes. Ce qui fera exploser des agglomérations déjà en proie à tous les maux urbains : bidonvilles, pollutions, faillite des transports, engorgements de tous ordres, violences, insécurité, mendicité, maladies, trafics... On peut craindre que ne se généralise la « calcuttisation » de mégapoles sinistres où, dans le labyrinthe de leur extension infinie, errent des gens déracinés...

Des gens souvent victimes des programmes d'ajustement structurel, imposés par la Banque mondiale et le Fonds monétaire international (FMI), qui ont entraîné des licenciements massifs de fonctionnaires, des coupures drastiques dans les budgets de l'éducation, de la santé et du logement, et mis en péril l'ensemble d'un édifice social déjà fort fragile. La pertinence de tels programmes paraît d'autant moins évidente que l'un de leurs objectifs principaux était l'augmentation des recettes d'exportation, alors que, on l'a vu, les prix des principaux produits exportés par l'Afrique sur le marché mondial se sont effondrés et que, de surcroît, leur demande a baissé.

En fait, cette pauvreté s'est, presque partout, aggravée au point que parmi les quarante pays où le développement économique et humain est le plus faible, on trouve actuellement trente-deux pays africains ; et sur les vingt-sept États où la souffrance humaine est considérée comme la plus extrême, vingt sont africains. La situation sanitaire, en particulier, est désastreuse ; il n'y a, en moyenne, qu'un médecin pour 25 000 habitants (3,5 médecins pour 1 000 habitants en Europe) ; et huit enfants sur dix décèdent avant l'âge de un an victimes de maladies que l'on peut facilement prévenir par la vaccination (tuberculose, poliomyélite, diphtérie, coqueluche, tétanos, rougeole). Au Malawi ou en Ouganda, par exemple, le Sida touche plus de 30 % de la population active ; et sur l'ensemble du continent noir, entre six et dix millions de personnes en sont atteintes. Le Sida détruit actuellement la jeunesse africaine comme la première guerre mondiale décima tragiquement les jeunesses d'Europe.

Devant le champ de ruines de ce continent devenu le tiers-monde du Tiers-Monde, comment ne pas s'interroger sur l'efficacité de l'aide fournie par le Nord.

On éprouve un premier sentiment d'indignation en constatant qu'à peine 5 % de cette aide est réellement consacrée au développement. Le reste revient, par des voies diverses, se placer dans les banques du Nord ou les paradis fiscaux européens sur les comptes d'intermédiaires et de dirigeants africains. C'est ainsi que des chefs d'État indélicats se sont constitué des fortunes impressionnantes ; celle du maréchal Mobutu, ancien président du Zaïre, est estimée à plus de 4 milliards de dollars...

Autre indignation : l'aide française, comme celle de la plupart des pays riches, est liée à des commandes sur le marché français. Ce qui conduit à multiplier les « éléphants blancs », c'est-à-dire des infrastructures gigantesques, surdimensionnées et souvent inutiles. Si l'aide n'était pas liée, son efficacité, estime-t-on, augmenterait d'au moins 25 %. Par ailleurs, une grande partie de cette aide est militaire et a conduit la France à équiper et à entraîner des forces armées qui n'hésitent pas à tirer sur des citoyens aux mains nues au Tchad, au Centrafrique, au Togo, au Gabon, au Zaïre, au Rwanda et ailleurs.

Présentes dans de nombreux pays d'Afrique, des unités de l'armée française ont longtemps permis (et permettent encore) le maintien au pouvoir de dirigeants non élus, entourés de véritables cleptocraties qui pillent les ressources de l'État et bafouent les droits de l'homme. C'est ainsi que, pour avoir soutenu jusqu'au bout le régime du dictateur Habyarimana, la France a été accusée sur la scène internationale d'avoir armé les milices hutues coupables du génocide des Tutsis au Rwanda en 1994.

Trente-cinq ans d'aide dilapidée et 300 millions de pauvres donnent la dimension du gâchis. L'Union européenne a probablement raté l'occasion d'édifier une véritable zone de coprospérité ; elle se retrouve, non sans inquiétude, avec un continent en faillite à sa frontière sud au moment où elle n'a plus les moyens d'une grande ambition africaine. Et alors que ses citoyens se demandent pourquoi continuer d'aider, en vain, l'Afrique.

Question d'autant plus compréhensible que la vision de ce continent proposée par les grands médias, et en particulier par la télévision, accrédite l'idée qu'il est devenu une succursale de l'enfer, inlassablement parcourue par les quatre cavaliers de l'Apocalypse. Les médias ne l'évoquent qu'à l'occasion de massacres, de pandémies, de cataclysmes, de famines et ils finissent par inscrire, dans l'imaginaire collectif, l'idée que le continent noir est un cas perdu.

En réalité, sous l'apparence d'une faillite généralisée, l'Afrique avance dans la bonne

direction dans plusieurs domaines. En particulier, en matière de libertés publiques les progrès sont rapides et spectaculaires. Au moment
de la chute du mur de Berlin, trente-huit des
quarante-cinq pays africains étaient gouvernés
par des partis uniques ou des juntes militaires.
Huit années plus tard, plus de la moitié de ces
pays a connu des élections libres et mis sur pied
des réformes démocratiques. Réformes qui
demeurent les conditions indispensables du
développement. Sans libertés pour les citoyens,
comment empêcher que les pires fléaux qui
frappent le continent conservent leur viru-
lence ? Car, l'absence d'opposition politique, de
presse et de syndicats libres permet la poursuite
de la corruption, encourage la violence armée,
la guerre civile, et interdit la mise sur pied de
solutions collectives pour éviter les famines,
lutter contre la sécheresse, contre la désertification, ou participer aux travaux de reconstruc-
tion. On estime que 60 millions de personnes
sont menacées de mort par les conséquences,
directes et indirectes, des guerres en Angola,
au Soudan, au Rwanda, au Liberia, en Somalie,
au Mozambique, au Sénégal, en Sierra Leone,
au Congo-Zaïre, au Burundi, etc.

La pacification politique apparaît comme
une condition indispensable pour qu'une nouvelle génération de gouvernants s'attaque enfin

au développement industriel, à la production agroalimentaire et à la formation des hommes, trois objectifs essentiels qui avaient été abandonnés depuis les années soixante-dix. Et pour que les États tirent enfin profit du fantastique essor de l'économie informelle qui emploie déjà 59 % de la population active et se développe sur des bases originales de réseaux et de filières permettant de contourner habilement les entraves de la corruption.

Dans les années soixante, et dans l'euphorie de la décolonisation, Julius Nyerere, président de la Tanzanie, avait fixé à l'Afrique l'ambitieux objectif de rattraper les pays développés : « Nous devons courir, recommandait-il, pendant que les autres se contentent de marcher. » Mal conseillée, mal aidée, mal gouvernée, l'Afrique a dilapidé quarante ans. Mais l'objectif reste le même, et les nouveaux gouvernants démocratiques du continent le plus jeune de la planète le répètent à l'envi : l'Afrique peut et doit rattraper le monde.

L'Amérique latine, au sortir de la « décennie perdue », se fixe le même projet. La vie politique de ce continent se caractérise par une donnée neuve : la démocratie s'est répandue (presque) partout. Les militaires ont regagné leurs casernes. De vieilles dictatures, comme celle du Paraguay, se sont effondrées ; le général Pinochet a accepté le verdict des urnes au Chili et a quitté, en 1989, le palais de la Moneda. À l'exception de ceux de Cuba et du Surinam, tous les gouvernants en place ont été librement élus, et sont considérés comme légitimes. Les sandinistes eux-mêmes, qui étaient arrivés au pouvoir par les armes, en 1979, ont accepté, en février 1990, de s'écarter après leur défaite électorale. Ce retrait a marqué, symboliquement, la fin de trois décennies du cycle révolutionnaire commencé avec la victoire de Fidel Castro, en 1959, à La Havane.

Désormais, les guérillas traditionnelles qui subsistent, essentiellement en Colombie, s'installent dans un semi-banditisme, établissent parfois de bonnes relations avec les trafiquants de drogue, et n'envisagent pas sérieusement de conquérir le pouvoir.

Un cas à part est constitué par l'Armée zapatiste de libération nationale (EZLN), qui a fait spectaculairement irruption au Chiapas en janvier 1994, et constitue la première riposte, les armes à la main, du Sud contre la mondialisation économique et le néolibéralisme. Ce n'est pas un hasard si son apparition sur la scène internationale a coïncidé avec la mise en œuvre de l'Accord de libre-échange nord-américain (ALÉNA). L'EZLN vise, explicitement, comme l'affirme son leader charismatique, le sous-commandant Marcos, « non pas à conquérir le pouvoir par les armes, mais à favoriser la création d'un contexte politique qui permette à une démocratie authentique de s'épanouir réellement au Mexique ».

Ce retour à la démocratie ne garantit pas pour autant le développement économique. Les dictatures avaient beaucoup favorisé la corruption, n'avaient pas su empêcher la fuite des cerveaux, ni celle des capitaux, et avaient souvent engagé des dépenses somptuaires et de prestige. La dette extérieure s'élevait, en 1990, à 450 milliards de dollars.

Tout cela a encouragé la plupart des gouvernements à abandonner les politiques créatrices d'hyperinflation, et à accepter les consignes néolibérales et les plans d'ajustement structurel préconisés par le Fonds monétaire international (FMI) et la Banque mondiale.

Pour réduire le déficit budgétaire, les subventions publiques aux produits de première nécessité ont été supprimées ; des milliers de fonctionnaires licenciés ; les budgets de la santé, de l'éducation et du logement drastiquement réduits ; enfin, des pans entiers du secteur d'État — au Chili, au Mexique, en Argentine, en Bolivie, au Venezuela, au Pérou, en Équateur — ont été privatisés. La plupart des pays tournent désormais le dos aux politiques économiques suivies depuis les années quarante, caractérisées par la substitution des importations et par des ambitions autarciques dans un marché protégé.

L'ancien président des États-Unis, George Bush, a proposé, pour encourager cette « révolution capitaliste » — mais aussi pour contrecarrer, dans un contexte planétaire caractérisé par la mondialisation des marchés, le puissant pôle économique que représente l'Union européenne —, la création d'une vaste zone de libre-échange s'étendant de l'Alaska à la Terre-de-feu et dont l'embryon serait l'Accord de libre-échange nord-américain, entre le Canada, les États-Unis et le Mexique (ALÉNA).

L'heure, ici comme ailleurs, est aux regroupements économiques régionaux : l'Argentine, le Brésil, le Paraguay et l'Uruguay ont créé, en mars 1991, le Marché commun du cône sud ou Mercosur. Par ailleurs, le Pacte andin, qui rassemble la Colombie, l'Équateur, le Pérou et le Venezuela, a été relancé, ainsi que le Marché commun d'Amérique centrale ; et des accords bilatéraux de libre-échange, comme celui qu'ont signé le Mexique et le Chili, se multiplient.

Ces politiques ultralibérales paraissent, en termes macroéconomiques, des succès. Mais elles accentuent les inégalités et aggravent le désarroi des classes moyennes, facteurs décisifs de stabilité politique et sociale ; elles rejettent dans le secteur informel une population de plus en plus déboussolée. La violence et la criminalité s'accroissent dans les villes. Des maladies, pratiquement éradiquées, comme le choléra ou la tuberculose, réapparaissent et s'étendent. Les trafics liés au commerce de la cocaïne s'intensifient ainsi que l'affairisme. Déjà, au Venezuela en particulier, le nouveau président Hugo Chavez tente de lutter contre ces conséquences de la mondialisation et a lancé sa « révolution bolivarienne ».

Des questions se posent : comment associer croissance économique et lutte contre les inégalités ? Comment échapper au paradoxe d'un pays qui s'enrichit mais dont les habitants s'appauvrissent ? Pourquoi le respect de la démocratie ne conduit-il pas les gouvernements à intervenir en matière d'emploi, de logement, de santé ou d'éducation de manière à corriger les excessives inégalités ?

En Asie-Pacifique, le néolibéralisme n'a connu de succès macroéconomiques que dans de États non démocratiques : Corée du Sud, Hongkong, Taïwan, Singapour, le Chili du général Pinochet. Mais dans des sociétés qui, sortant de régimes autoritaires, veulent restaurer la démocratie, l'imposition brutale de politiques libérales met en péril ce projet. Les citoyens se

sentent soudain abandonnés par l'État. À quoi
sert la démocratie, se demandent-ils, si elle ne
permet pas de se protéger contre cet insolite
abandon ? Si elle n'améliore pas rapidement les
conditions matérielles de vie ?

L'économie moderne, ce n'est pas seulement
le marché et la globalisation, c'est aussi, dans
une large mesure, une productivité qui, en raison des innovations technologiques, ne cesse de
croître. La performance économique produit
désormais du chômage ; il ne suffit plus de créer
des biens pour créer des emplois, même chez
les « dragons » asiatiques, comme l'a montré la
révolte sociale de janvier 1997 en Corée du Sud.

L'industrie et les services, comme naguère
l'agriculture, paraissent menacés d'une réduction massive de main-d'œuvre. Préoccupante
dans les pays du Nord, cette perspective l'est
encore plus au Sud, en raison du nombre déjà
excessif des sans-emploi.

L'adoption aveugle de recettes libérales par
certains pays du Sud conduit à une modernisation qui ne se propose pas de réduire les abys-
sales inégalités existantes et n'envisage pas — du
moins dans un premier temps — l'intégration
de la population déshéritée dans le circuit de la
richesse. Comme, d'autre part, l'État cesse de
garantir le droit à l'éducation, au logement et à
la santé, des révoltes vont se multiplier. Quand

le rêve d'évolution se dissipe, revient le temps des révolutions.

La voix des pauvres se fera de plus en plus entendre dans un monde où, bientôt, les nantis seront cinq cents millions et les laissés-pour-compte plus de cinq milliards...

## L'AGONIE DF LA CULTURE

Agonie veut dire lutte, combat. Au moment où l'ensemble des aspects intellectuels de la civilisation occidentale paraît agoniser, comment ne pas se demander dans quelles luttes et quels combats est engagée la culture ? Intellectuels, artistes, créateurs, chacun sent bien que, une fois encore, les sociétés occidentales arrivent à un point de bifurcation.

L'heure des choix sonne à nouveau, mais les repères manquent pour s'orienter avec certitude en cet instant de déclin qui précède la fin d'un temps et la naissance d'une ère nouvelle. « On entre dans une époque où les certitudes s'effondrent — constate Edgar Morin. Le monde est dans une phase particulièrement incertaine parce que les grandes bifurcations historiques ne sont pas encore prises. On ne sait pas où l'on va. On ne sait pas s'il y aura de grandes régressions, si des guerres en chaîne ne vont pas se développer. On ne sait pas si un processus civilisateur amènera à une situation planétaire plus ou moins coopérative. L'avenir est très incertain. »

Nous voici donc au cœur d'un temps-carrefour. Arrivés à un de ces points de bifurcation où les règles culturelles fondamentales qui rythment la vie et la pensée des hommes changent, se modifient. Tout est bouleversé. Il nous faut remettre en cause des certitudes, réviser des pratiques, comprendre les nouveaux paramètres des temps présents. Les sociétés européennes continuent de naviguer dans la modernité, sans but précis et sans une claire représentation de son devenir. Peuvent-elles faire l'économie d'une réflexion à long terme et en profondeur ?

Ce serait folie que d'y renoncer. Car nous sommes en train de sortir d'un univers de déterminismes simples et nous entrons dans un monde de complexité où l'incertitude, la stratégie et l'innovation apparaissent fortement liées. Mais leur imbrication nous demeure largement énigmatique. Comprendre est un enjeu capital. Chacun constate, en économie par exemple, que les équilibres globaux dépendent moins de volontés arrêtées et de décisions centrales que de mécanismes de régulation extrêmement délicats, souvent déterminés par ce que l'on appelle « le marché global » et les logiques de la mondialisation. Bref, beaucoup de décisions sont prises à l'aveuglette et les décideurs politiques gèrent à tâtons.

La crise c'est aussi cela, cette incapacité mentale, intellectuelle, conceptuelle à en mesurer même la dimension. La croissance faible et le chômage de masse dans une économie ouverte crispent une société éclatée et condamnent les dirigeants politiques à mener des stratégies longues sur des problèmes urgents. La société européenne s'est retrouvée non seulement sans croissance, mais encore sans projet. « Personne aujourd'hui, constate Simon Nora, ne sait quelles sont les impulsions du centre qui déclenchent les naissances ou l'investissement. »

Les effets du progrès technique et les conséquences sociologiques de l'expansion durant la période 1945-1975 (exode rural et déchristianisation, culte des loisirs et libération des mœurs, explosion des médias audiovisuels et de la communication) ont fait sauter des structures spirituelles séculaires et ruiné des références culturelles extrêmement anciennes. L'augmentation du niveau de vie, les progrès dans le domaine de la santé, la modification de l'idée de bonheur ont conduit à une sorte d'abandon des valeurs qui imprégnaient l'ensemble du corps social européen. Et la croissante mondialisation de l'économie et de la culture a estompé de plus en plus le cadre national ; le patriotisme lui-même disparaît puisqu'il reposait largement sur l'identification de l'État et de la société.

La culture de masse triomphe, en particulier celle qu'imposent les grands médias, les télévisions et la publicité. Ce qui renforce l'homogénéisation de tous les Européens mais détruit les particularismes nationaux au profit du modèle américain. « Subissons-nous l'homogénéisation des mœurs et la standardisation culturelle que répandent irrésistiblement sur l'Europe jeans, tee-shirts, westerns, serials, shows, hamburgers, coca, pepsi, pampers, self-services, supermarchés ? » s'interroge Edgar Morin, avant de répondre : « En fait l'américanisation est l'aspect le plus imagé et le plus ostensible d'un processus issu de l'Europe même : celui du développement capitaliste qui transforme tout ce qu'il touche en marchandise, celui du développement industriel qui standardise tout ce qu'il intègre, celui du développement techno-bureaucratique qui anonymise tout ce dont il s'empare, celui de l'urbanisation à outrance qui désintègre les anciennes communautés et atomise les existences dans la "foule solitaire". Ce processus, qui a déjà corrompu et ruiné tant de cultures dans le monde, attaque maintenant nos cultures… »

Ainsi, dépouillés des indispensables repères culturels, désidentifiés, les citoyens affrontent la crise actuelle dans la pire des conditions mentales. Or, la nouvelle hiérarchie des États qui se dessine dans le monde se fonde moins sur la puissance militaire, comme c'était le cas jusqu'à présent, que sur une aptitude mentale à appréhender le foisonnement des mutations et des innovations technologiques, et à tirer le maximum de profit des nouveaux mécanismes des marchés.

Le rythme de la révolution technologique est de plus en plus rapide. Son accélération bouscule, par contact, toutes les activités de la société. Alors que l'on assiste, du fait du basculement dans l'univers de l'information, à une dématérialisation croissante des activités aussi bien économiques (explosion des marchés financiers) que culturelles (explosion des nouvelles télévisions numériques, des jeux vidéo, d'Internet), les citoyens seront-ils capables de faire face à toutes les incertitudes ?

Les principaux blocages sont indiscutablement culturels. Le vrai problème est d'opérer, dans une société traumatisée par le rythme de l'innovation, le déblocage de l'intelligence socio-économique, c'est-à-dire des problèmes culturels au sens large. Or, pour amorcer ce « déblocage », il faut sans doute reprendre, avec un regard critique, le fil de la construction des principaux paramètres culturels, et reconsidérer l'édification de la modernité en Europe.

Si les citoyens ont supporté, au cours des années cinquante et soixante, l'effondrement des valeurs traditionnelles et ont souvent célébré cet effondrement comme une libération, c'est parce que, en même temps, les anciennes valeurs étaient remplacées par quelques croyances essentielles — le progrès, la science — fondées sur la toute-puissance de la raison. Le retour de la raison dans le champ de la culture européenne date de la fin du Moyen Âge, mille ans après l'ensevelissement de la culture gréco-latine sous le modèle judéo-chrétien.

C'est aux xve et xvie siècles que l'affrontement entre la culture gréco-latine et la tradition judéo-chrétienne s'est produit. On a appelé ce choc : la Renaissance. Deux concepts farouchement antagonistes — foi et raison — se heurtent de front. La foi exige le respect littéral des Écritures sacrées, expression directe de Dieu. Elle est à la base de la discipline reine, la théologie, qui veillait à l'orthodoxie de toute forme de pensée et châtiait les déviants (excommunication, bûcher, Inquisition, supplices). L'Église, gardienne de l'interprétation des textes, imposait le dogme, organisait la vie, régnait sur les esprits, dictait les normes de la morale, de la science, de l'esthétique et du droit, définissait le bien, le vrai, le beau, et le juste.

La Renaissance sonne le glas de la suprématie absolue de la théologie. L'émergence de la pensée rationnelle favorise la distinction entre philosophie et religion, entre humanisme et christianisme. L'humanisme fait de l'homme « la mesure de toute chose », le sujet central de l'univers qu'il a vocation de maîtriser. La vérité logique, résultat de la déduction, va s'opposer à la vérité dogmatique, fruit de la révélation. L'humanisme s'épanouit alors avec une force d'autant plus grande qu'il se nourrit de la puissance scientifique et technique. Galilée, Léonard de Vinci, Michel Servet, Copernic s'appliquent à comprendre les lois de l'univers. Libérés de l'emprise de la foi, ils s'adonnent à une tâche proprement profane : maîtriser la nature.

Le progrès devient ainsi une nouvelle religion, pouvant procurer le bonheur sur terre. La science apporte une nouvelle lucidité, parfois paradoxale, comme celle qui résulte « de ne pas croire nos yeux, de croire seulement notre cerveau ». Au XVIIIe siècle, à l'âge des Lumières, pour finir de ruiner la superstition, la religion et les pouvoirs arbitraires, un système de pensée s'édifie : le rationalisme. C'est alors l'âge d'or de la circulation des savoirs, par les voyages, les correspondances et les conversations (« les salons»). La république des Lettres répand un nouveau système de pensée.

Pour des penseurs comme Descartes, Newton, Rousseau, Diderot, Condorcet, Voltaire, tout ce qui existe est considéré comme intelligible et, à la lumière de la raison, l'univers et ses mécanismes doivent dévoiler une à une leurs énigmes. L'univers c'est aussi les hommes et la façon dont ils sont gouvernés. Or, ils doivent l'être par des lois rationnelles. La raison collective doit régir la cité et les individus (pourvus d'une liberté et d'une dignité nouvelles) : ce sera la démocratie.

Le rationalisme atteint son accomplissement politique en proposant l'*habeas corpus*, en formulant la Déclaration des droits de l'homme et en déclenchant, dans la seconde partie du XVIIIᵉ siècle, les révolutions américaine et française. Mais la tyrannie de la raison — tout comme son sommeil — peut aussi produire des monstres. Et, par exemple, la Terreur, sous la Révolution française, apparaîtra comme l'expression de l'intolérance de la raison, tout comme l'Inquisition fut celle de la foi.

Les progrès de la science et des techniques, tout au long du XIXᵉ siècle, confirment la puissance de l'ordre rationnel. Ils vont favoriser l'expansion conquérante de l'Europe hors de ses frontières. Et, paradoxalement, le triomphe du rationalisme européen va signifier, pour les autres peuples de la Terre, une catastrophe culturelle. Les puissances européennes, grâce à la redoutable force de leur machinerie militaire, asservissent, colonisent, exploitent les hommes des cinq continents. Les autres cultures ne perçoivent du génie rationaliste que son arrogance, sa suffisance, sa brutalité, avant de périr souvent par le fer et le feu.

En Europe même, la rationalité scientifico-technique et d'aberrantes rationalisations politiques lancent les États dans des tueries abominables au cours des deux guerres mondiales. Les pires régressions de l'esprit — Auschwitz, le Goulag — se produisent au nom de la raison politique et de la science.

De la science, le citoyen attendait une maîtrise de la nature qui, tout en créant de meilleures conditions de vie, devait surtout rendre l'homme — libéré des plus dures nécessités — disponible pour la vie intérieure et les plus hautes activités de la culture. Or elle a favorisé la mise au point de l'engin nucléaire et d'armes biologiques ou chimiques redoutables. Au point que certains auteurs, comme André Malraux en viendront à dire : « Le problème qui se pose pour nous aujourd'hui, c'est de savoir si sur cette vieille terre d'Europe, oui ou non, l'homme est mort. » Et Paul Valéry constatera : « Nous autres, civilisations, nous savons maintenant que nous sommes mortelles : nous avions entendu parler de mondes disparus tout entiers, d'empires coulés à pic avec tous leurs hommes et tous leurs engins, descendus au fond inexplorable des siècles, avec leurs dieux et leurs lois, leurs académies et leurs dictionnaires… Nous voyons maintenant que l'abîme de l'histoire est assez grand pour tout le monde. Nous sentons qu'une civilisation a la même fragilité qu'une vie. »

Après la seconde guerre mondiale, l'Europe est divisée, vaincue, détruite. Ses possessions dispersées aux quatre coins du monde retrouvent peu à peu, de 1947 à 1965, la maîtrise de leur destin. La décolonisation recentre l'Europe sur elle-même mais c'est une Europe amputée, désarmée, vaincue.

La disparition des conflits intra-européens et de puissantes menaces extra-européennes conduisent la plupart des États d'Europe occidentale à rechercher un mode de concertation entre eux et à fonder la Communauté économique européenne (CEE). Le repli sur elle-même permet à l'Europe de faire oublier son expansionnisme de naguère. Sa faiblesse militaire et politique efface son ancien bellicisme et son hégémonie sur la planète de 1492 à 1914.

En revenant chez elle, toutes décolonisations achevées, c'est à une sorte de purification que se livre l'Europe. Cette purification doit permettre d'exalter les valeurs universelles créées dans le Vieux Continent — liberté, droits de l'homme, démocratie — et faire oublier le comportement agressif pratiqué hors des frontières — domination, exploitation, colonisation.

Toute cette période — de la fin de la seconde guerre mondiale aux années soixante-dix — est aussi celle d'un extraordinaire essor économique. Plus que toute décision politique, cet essor entraîne des bouleversements radicaux des mentalités, des mœurs. Les populations européennes passent, en peu de temps, de la pénurie à l'abondance, elles se lancent à corps perdu dans le consumérisme. Alors que les campagnes se dépeuplent, que les artisans disparaissent, que la pratique religieuse s'éteint.

Le modèle de civilité urbaine imprègne peu à peu l'ensemble du pays. Les grands médias — cinéma et radio d'abord, télévision surtout — répandent le mode général de vie; la publicité harmonise les comportements, dicte les achats, sélectionne les objets. Une forme médiane de vie quotidienne s'établit. Alors qu'explosent les familles, cassées par la révolution des mœurs, la liberté sexuelle, les revendications féministes; qu'apparaissent des problèmes nouveaux de stress, de solitude, d'affectivité, etc. Ces mêmes problèmes concernent, avec de légers décalages, l'Europe tout entière.

L'Europe est aujourd'hui confrontée à trois crises graves : crise économique, crise démographique et crise culturelle.

La crise économique est bien connue de tous. Elle a plusieurs composantes. Elle a d'abord surpris par sa soudaine manifestation, vers 1973, liée au renchérissement des prix du pétrole. En fait, elle venait de loin, car la puissance de l'Europe reposait sur un modèle industriel ancien : sur le charbon et l'acier, sur le socle de la sidérurgie.

Désormais, ce n'est pas dans la puissance sidérurgique ou dans le gigantisme manufacturier que réside la clé de la réussite économique, mais dans le contrôle informatique de la production, dans la maîtrise des marchés extérieurs et dans la cérébralisation des machines.

L'impérieuse nécessité d'exporter met l'Europe à la merci des marchés internationaux, eux-mêmes dépendants de la crise planétaire, ainsi que des aléas des marchés financiers et des fluctuations monétaires. Alors que le commerce international continue d'être régi par une monnaie non européenne, le dollar.

La crise démographique menace à terme de conduire l'Europe à sa disparition. Déjà actuellement, le taux de fécondité (1,53) est insuffisant à la simple reproduction de la population européenne. Celle-ci décroît régulièrement en termes absolus et relatifs. En 1939, elle représentait 18,4 % de la population mondiale, elle ne représente, en 1997, que 10,2 % et ne sera que 8,4 % en l'an 2000.

Mais la crise est aussi — et peut-être surtout — culturelle. C'est le rôle des intellectuels que de penser la culture et tout particulièrement la culture de l'Europe. Mais trop de pressions existent qui détruisent et réduisent le rôle de l'intellectuel.

Les intellectuels doivent affronter, au-delà des difficultés spécifiques liées à la complexité actuelle du réel, le problème de leur énorme discrédit. Le discrédit est dû à un lourd passif d'erreurs. Et aux causes indéfendables dont quelques-uns d'entre eux se sont longtemps rendus complices.

Malgré cela, le rôle de l'intellectuel demeure indispensable dans un monde où la science, pour la première fois de l'histoire, détient seule la légitimité de la vérité. Tout le monde lui donne raison. En face, la culture sombre dans ce que Michel Serres a appelé le « désastre éducatif global » des sociétés contemporaines.

Or la science elle-même a besoin d'intellectuels, d'hommes de culture, ne serait-ce que pour l'aider à répondre aux graves problèmes de déontologie et d'éthique qui ne cessent de se poser, et que le progrès et les nouvelles découvertes la contraindront constamment à se poser. On l'a vu récemment à propos de la crise de la «vache folle», du scandale du sang contaminé, de l'affaire des hormones de croissance contaminées. Sans parler des problèmes philosophiques que posent les biotechnologies, et en particulier le séquençage de l'ADN, le brevetage du vivant, le clonage de mammifères supérieurs adultes, etc.

La science sans l'homme de culture peut conduire, on le sait, à la barbarie. Plus que jamais, la culture apparaît donc indispensable. Mais, quelle culture?

Quatre cultures coexistent dans les pays européens : culture anthropologique, culture humaniste, culture scientifique et culture de masse. Peu d'individus possèdent les quatre, car elles n'ont entre elles que de faibles connexions. Elles sont d'ailleurs excluantes, même s'il est exact de dire que la culture actuelle est la somme des quatre.

La culture anthropologique est celle des traditions ancrées dans les coutumes, celle des villages et des campagnes, des foires et des fêtes, des proverbes et des superstitions, des recettes paysannes, des remèdes de grand-mère et des savoir-faire artisanaux. Cette culture, enfouie sous les trois autres, détermine encore fortement les mentalités, elle est à l'origine de nombreuses antinomies et de graves incompréhensions.

La culture humaniste a atteint son apogée au xviiie siècle. Elle s'intéresse à l'homme, à la nature, au monde et à la société autour de problèmes fondamentaux : le bien, le mal, la vie, la mort, Dieu, l'au-delà, etc. Descartes, Montaigne, Pascal, par exemple, qui sont à la fois philosophes, savants et écrivains, représentent cette culture. Ils ont proposé de grandes synthèses sur ces questions très générales.

La culture scientifique, au contraire, exige la spécialisation. Elle produit un vertige du connaître pour le connaître, qui la conduit à ne pas s'interroger sur elle-même. Les grandes questions types de la culture humaniste deviennent ici sans objet.

La culture de masse est également constituée par une énorme quantité d'informations qui se détruisent sans cesse, se brouillent les unes les autres, se transforment en «bruit». On a craint un instant que cette culture de masse n'envahisse en entier l'espace des loisirs au fur et à mesure que, après 1960, dans les sociétés européennes se généralisèrent la consommation de masse, la pratique des vacances, l'usage de l'automobile, le goût des loisirs et l'habitude de la télévision. Celle-ci s'est répandue en Europe à partir de la fin des années cinquante, provoquant une véritable révolution des mœurs.

L'Europe de la télévision, l'Eurovision, devient une réalité dès juin 1954. Les pays du Vieux Continent basculent alors dans un nouvel âge de la communication. Peu à peu, ils se couvrent d'une dense forêt d'antennes. Et commence l'ère de l'audiovisuel, de l'image électronique. Une nouvelle civilisation se dessine, dont la matrice, élaborée aux États-Unis, est — pour la première fois depuis deux millénaires — étrangère à l'Europe.

Le pouvoir des images est mis à profit par la publicité. Ces « spots » courts, de rythme rapide, constituent un genre télévisuel fort séduisant. Ils transforment le rythme général de ce média. La télévision devient un art du clip, du crépitement, à un ou deux plans par seconde. Cela provoque une réduction du langage filmique, une uniformisation des structures et des formes utilisées.

Mais même la culture de la télévision se disloque sous la violence et le choc de la crise économique dès le milieu des années soixante-dix. Ce que cette crise met en relief, c'est l'extrême fragilité énergétique de l'Europe. Ainsi que la nécessité d'une reconversion — d'une « restructuration » — alors que de jeunes États, surtout en Asie du Sud-Est, produisent à meilleur marché que les entreprises européennes, en l'absence de lois sociales, et suscitent de nombreuses délocalisations.

Les nouvelles mutations technologiques ont été mises à profit dans certains pays (au Japon, à Taïwan, en Corée du Sud, à Singapour, à Hong-kong et dans d'autres États de l'Asie-Pacifique notamment) mieux qu'en Europe.

C'est dans ce contexte de sinistrose que s'achève, soudain, la guerre froide. Un peu à la surprise générale. Et on pense que cette grande victoire occidentale va entraîner, comme par magie, la fin de la crise et l'entrée dans une nouvelle ère de prospérité.

Que d'illusions, que d'espoirs, en effet, étaient nés après les féconds événements de la seconde moitié de l'année 1989 : en particulier, la « révolution de velours » à Prague, la chute du mur de Berlin, et la fin de la tyrannie à Bucarest.

Soudain, les 70 millions de morts sur les champs de bataille, dans les camps d'extermination, les déportations, ou à cause des pandémies et des famines liées aux guerres, entre août 1914 et mai 1945, semblaient ne pas avoir été sacrifiés en vain. « L'histoire et la morale se réconcilient », put affirmer l'écrivain (et président tchèque) Vaclav Havel pensant que l'heure était enfin venue de bâtir la société dont tant d'intellectuels avaient rêvé, basée sur les vertus démocratiques, sur l'éthique et la responsabilité, dans laquelle l'essentiel ne serait pas le profit et le pouvoir mais le sens de la communauté et le respect de l'autre.

Éphémère et trompeur instant. Car, depuis, les changements torrentiels se sont poursuivis et trop d'images fort peu héroïques sont venues ensevelir et oblitérer celles du triomphe des libertés. En particulier, pour s'en tenir à l'Europe, celles de la guerre de Bosnie : insoutenables scènes des civils broyés par une violence qui a fait 140 000 morts, 70 000 mutilés, 3 millions de réfugiés… « La mécanique du châtiment », dont parle l'essayiste George Steiner, s'est remise en marche, stimulée par l'irrationnelle explosion des nationalismes, le vertige des fractionnements et l'ouragan des haines.

« Et dire que le siècle avait commencé avec des idées si généreuses et de si grandes figures : Freud, Kafka, Gide, Sartre, Camus… — soupire l'intellectuelle italienne Rossana Rossanda. La force de la culture européenne, jusqu'au milieu de ce siècle, était dans la mixité, le métissage : on naissait à Budapest, résidait à Vienne, écrivait en allemand, parlait hongrois… »

Dans l'ex-Yougoslavie, le récent déchaînement des sadismes et des barbaries pose, une fois encore, aux philosophes et aux intellectuels de notre temps, la question de la condition humaine ; les « nettoyages » et les « purifications » ethniques bafouent l'idée même d'humanité, de démocratie et attestent une faillite des Lumières. L'écrivain Susan Sontag qui, pour témoigner de sa solidarité avec la population bosniaque, a mis en scène, en août 1992, à Sarajevo, la pièce de Samuel Beckett *En attendant Godot* estime que, « comme Godot, les habitants de Sarajevo ont attendu en vain une intervention de l'Europe qui n'est jamais venue... ». Nulle avancée de la civilisation ne peut se fonder sur l'indifférence à l'égard d'un crime.

L'horizon de l'espérance semble avoir reculé au point que rares sont les intellectuels qui perçoivent la naissance de nouveaux rêves collectifs : « Les étudiants auxquels j'enseignais autrefois — raconte George Steiner — avaient tous des fenêtres sur l'espoir : c'était Mao, ou Allende, ou Dubcek, ou le sionisme. Il existait toujours un lieu où l'on se battait pour que le monde change. À présent c'est fini. »

À l'image des sociétés occidentales, la plupart des intellectuels ne se voient plus clairement dans le miroir du futur. Ils semblent gagnés par le désarroi, intimidés par le choc des nouvelles technologies, troublés par la mondialisation de l'économie, préoccupés par la dégradation de l'environnement, méfiants à l'égard des grandes institutions étatiques (Parlement, justice, police, École, médecine, médias), et, enfin, fortement démoralisés par une corruption proliférante qui gangrène tout désormais.

Les créateurs de leur côté demeurent perplexes. Trop de bouleversements bousculent l'ordre du monde ; les jalons les plus stables tanguent, cèdent, et sont finalement emportés par l'avalanche des événements. «Ce qui est impressionnant — constate l'écrivain mexicain Carlos Fuentes — c'est que, il y a trois ans, nous célébrions tous une prodigieuse fin de siècle, on parlait alors de la fin de l'histoire, de la solution des problèmes, du triomphe du capitalisme et de la démocratie. Trois ans après, nous nous retrouvons plongés dans la plus extrême perplexité. Tout est à reformuler. Tout est à repenser. »

Brusquement, une profusion de problèmes nouveaux de tous ordres a surgi. Certains radicalement inédits, comme le démontage des économies planifiées ; d'autres, fort archaïques, ultranationalistes, inspirés par l'idéologie «sang et sol» et ses identifications mystiques régressives qui provoquent les absurdes et tragiques «guerres ethniques».

À tout cela s'ajoute l'aggravation de la récession économique. La logique du marché, celle du libre-échange et la quête du profit maximal produisent des menaces sur la création culturelle.

À cet égard, les négociations de l'Organisation mondiale du commerce (OMC), qui incluent des domaines relevant de la production culturelle, en particulier dans le secteur de l'audiovisuel et de l'industrie cinématographique, inquiètent l'ensemble des milieux culturels européens. Les États-Unis, qui ont imposé leur modèle dans le domaine de la culture de masse, sont en effet décidés à faire sauter toute directive permettant d'imposer des quotas de films européens aux chaînes de télévision du Vieux Continent. Et les créateurs s'alarment.

D'autant que la nouvelle télévision impose, depuis peu, un modèle différent. Il est multipolaire et d'envergure planétaire ; grâce à la compression numérique, le nombre de chaînes proposées tend à augmenter sans cesse, en fonction de segments de plus en plus étroits du public. Les thèmes et les sujets des chaînes des bouquets numériques deviennent aussi divers que le nombre de revues dans un kiosque de presse. Cette télévision est, pour l'essentiel, payante.

À l'opposé, les dernières chaînes généralistes placent leur propre univers au centre de leurs préoccupations. Le monde de la télévision devient leur sujet principal. Bref, la télévision se recentre sur le seul sujet qui intéresse le plus grand nombre de spectateurs et qui constitue bien souvent leur unique culture : la télévision elle-même.

Des mégagroupes de communication se sont récemment constitués par un rapide effet de concentration de capitaux ; ils aspirent à contrôler un bassin d'audience plus vaste que leur marché traditionnel et font preuve d'ambitions internationales, à l'échelle européenne ou mondiale. Ces groupes adoptent actuellement ce qu'il est convenu d'appeler une « stratégie multimédia » et produisent des images adaptées à la multiplication des réseaux de diffusion.

La performance économique entre ainsi en contradiction avec la culture et la démocratie qui semblent avoir oublié l'avertissement lancé, dès 1938, par l'écrivain Raymond Queneau : « Le but de toute transformation sociale est le bonheur des individus et non la réalisation de lois économiques inéluctables. »

Dans l'actuel climat de pessimisme culturel, de nombreux créateurs semblent tentés par le repli individualiste et par le « révisionnisme esthétique ». D'autres, même si cela semble démodé, optent pour l'engagement ; ainsi, le peintre espagnol Miquel Barceló, considéré comme l'une des plus brillantes révélations de la nouvelle peinture contemporaine, qui vit au Mali, exprime sa révolte devant les inégalités entre le Nord et le Sud : « Les choses les plus atroces sont peut-être les moins spectaculaires, comme par exemple la façon dont l'Occident écrase le tiers-monde entre la Banque mondiale, les crédits et le contrôle des matières premières des pays les plus pauvres du monde. C'est une situation plus cruelle que le colonialisme. Au moins, durant le colonialisme, les pays du Nord se sentaient obligés de construire des routes et des écoles. Maintenant ils n'ont aucune obligation. C'est de la pure rapine. »

Ainsi, placés devant l'alternative classique d'avoir à choisir entre l'imitation de Narcisse, amoureux de lui-même, et celle de Prométhée, qui intervint en faveur du genre humain en dérobant le feu aux dieux, beaucoup de créateurs continuent de préférer ce dernier. Ils n'ignorent pas les risques et savent à quelle interminable agonie fut condamné le titan — lié par des chaînes d'airain au sommet du Caucase, un aigle venait lui dévorer son foie qui renaissait toujours — mais assument cela parce qu'ils sentent qu'il y va du salut de la culture.

Une fois encore, des créateurs relèvent le défi d'avoir, par leur génie, à exprimer les souffrances de l'époque bien mieux que ne sauraient le faire les politiques ou les experts. Ils savent aussi que, selon Eschyle, le supplice de Prométhée cessera le jour où un immortel prendra sa place. Et que, alors, l'humanité sera sauvée.

# L'ÈRE INTERNET

Le spectaculaire développement des technologies de l'information et de la communication déclenche, à l'échelle de la planète, un phénomène de transformation civilisationnelle : l'ère industrielle et la «société de consommation» laissent peu à peu la place à ce qu'on appelle «la société d'information». Certains soutiennent même que les conséquences sociales, économiques et culturelles seront beaucoup plus profondes que celles qu'avait provoquées, vers le milieu du XIXe siècle, la révolution industrielle. Dès à présent, des pans entiers de l'activité économique, des finances, du commerce, des loisirs, de la recherche, de l'éducation, des médias sont profondément bouleversés par l'explosion des réseaux électroniques, et des technologies du multimédia et du numérique.

«Au cœur de cette mutation, lit-on dans un récent document de l'Unesco, les progrès technologiques : possibilité de numériser diverses

formes d'information — textes, chiffres, sons et
images — et de les combiner en un produit
unique, le fameux "multimédia"; intelligence
artificielle et incorporation, dans les produits
et les services d'information, d'interfaces inter-
actives adaptées aux besoins de l'utilisateur;
techniques de compression numérique et de
commutation facilitant la diffusion de volumes
de données toujours plus importants; progression exponentielle de la puissance de calcul des
ordinateurs en même temps que les baisses
spectaculaires des coûts; câble à fibres optiques
bon marché et nouvelles technologies sans fil;
et, plus impressionnante sans doute que tout le
reste, croissance explosive des réseaux informatiques et, en particulier, du plus grand d'entre
eux, Internet, qui relie des millions d'ordinateurs individuels et d'utilisateurs dans le monde
entier.

« La combinaison et l'interaction de ces technologies donnent le jour à de nouveaux produits
et services fondés sur la vidéo, les méthodes de
pointe de traitement de l'image et de la voix,
de puissantes techniques permettant d'automa-
tiser la recherche de l'information et toutes
sortes d'opérations de routine, qu'un ensemble
de réseaux en interfonctionnement rend de
plus en plus accessibles. Ces "nouvelles" technologies — ou, plus exactement, ces nouvelles

utilisations de la technologie — stimulent la convergence des diverses branches d'activité. Dans les pays industrialisés, on voit depuis quelques années les câblo-opérateurs, les services de télécommunications et les opérateurs de réseaux de radiotélédiffusion, ainsi que les industries de l'informatique, de l'édition et des loisirs amorcer des rapprochements et des alliances stratégiques. Désireux d'étendre leurs activités hors de leurs frontières traditionnelles en proposant des services interactifs, fournisseurs et diffuseurs de l'information partent agressivement à l'assaut de nouveaux marchés[1]. »

Dans l'ensemble, ces technologies offrent d'immenses possibilités pour promouvoir et stimuler la création artistique. Mais il est à craindre que la domination quasi absolue des États-Unis sur ces technologies ne nous conduise vers de nouvelles formes de dépendance et vers une situation de vassalisation culturelle. La *world culture*, la culture globale, en anglais, s'étend à l'échelle planétaire et s'impose partout. Non seulement dans les pays du Sud, mais même dans les pays européens.

À cet égard, de nombreux citoyens se deman-

---

1. *L'Unesco et la société de l'information pour tous*, document d'orientation, Paris, Unesco, mai 1996.

dent si la nouvelle guerre du multimédia ne va pas se solder par une aussi grave défaite pour l'Europe que celle qu'avaient connue le cinéma et la télévision dans leur confrontation avec les États-Unis ?

L'audiovisuel a été incorporé, comme les autres services, aux règles du GATT, devenu Organisation mondiale du commerce (OMC). Mais, à l'intérieur de ces règles, il n'y a pas eu d'accord entre les deux parties. Les États-Unis menacent régulièrement de porter plainte contre l'Union européenne, coupable de pratiquer des « *distorsions de concurrence* » par ses aides publiques aux industries du cinéma.

Pourtant, il suffit de regarder les chiffres pour constater que les États-Unis sont le pays le plus protectionniste du monde dans ce domaine, et qu'ils importent de l'étranger moins de 2 % de leur consommation audiovisuelle !

En revanche, dans l'Europe des Quinze, de 1985 à 1994, le nombre d'entrées dans les cinémas, pour les films américains, est passé de 400 à 520 millions, faisant progresser leur part de marché de 56 à 76 %. Les entrées pour les films nationaux (chacun sur leur propre marché national) ont chuté, sur la même période, de 177 millions à 89 millions, soit une part de marché baissant de 25 à 13 %.

Si l'on examine la situation de la télévision,

on constate qu'elle est tres semblable. Sur les quelque cinquante chaînes européennes de télévision à diffusion nationale «en clair» — ce qui exclut les réseaux câblés et les chaînes cryptées —, les films américains représentaient, en 1993, 53 % de la programmation ; les films nationaux dans leur pays respectif 20 % ; les films européens non nationaux 23 %.

Hollywood a réalisé un excédent commercial de plus de 4 milliards de dollars avec l'Europe en 1995, et près de 56 % des recettes des films américains proviennent de l'exportation. Hollywood a un besoin vital du marché européen. En dix ans, le bilan commercial de l'audiovisuel européen face aux États-Unis s'est fortement dégradé (les pertes étaient de 0,5 milliard de dollars en 1985 ; et elles sont passées à 4 milliards de dollars en 1995), ce qui a entraîné, sur l'Union européenne, la disparition de quelque 250 000 emplois...

L'industrie de l'audiovisuel et du cinéma est devenue, pour les États-Unis, le premier poste d'exportation, le premier pourvoyeur de devises devant l'industrie aérospatiale. C'est pourquoi tout ce qui freine l'expansion des produits audiovisuels américains est combattu très vivement par le département du commerce de Washington.

Mais ces batailles autour du cinéma et de la

télévision paraissent mineures comparées à celles qui se préparent dans le domaine du multimédia. Les formidables bouleversements technologiques des deux dernières décennies ont dopé les enjeux. La mondialisation des échanges de signes a été fabuleusement accélérée. La révolution de l'informatique et de la communication a entraîné l'explosion des deux véritables systèmes nerveux des sociétés modernes : les marchés financiers et les réseaux d'information.

La transmission de données à la vitesse de la lumière ; la numérisation des textes, des images et des sons ; le recours aux satellites de télécommunications ; la révolution de la téléphonie ; la généralisation de l'informatique dans la plupart des secteurs de la production et des services ; la miniaturisation des ordinateurs et leur mise en réseau à l'échelle planétaire ont, peu à peu, chambardé l'ordre du monde.

Hyperconcentrations et mégafusions se multiplient, donnant naissance à des entreprises de taille mondiale dont l'objectif est la conquête médiatique de la planète. Aux États-Unis, l'alliance nouvelle entre Microsoft et la chaîne NBC, qui appartient à la General Electric, vise à créer une chaîne d'information planétaire (MSNBC), concurrente de la CNN (elle-même rachetée récemment par Time-Warner, premier groupe de communication mondial). Rupert Murdoch y songe également, et cherche à faire fusionner ses différents réseaux continentaux Fox (États-Unis), Sky (Europe) et Star (Asie) pour créer une «chaîne globale», dont l'embryon, Fox News Service, a été lancé, en octobre 1996, aux États-Unis et est destiné à être capté dans le monde entier

Dans ce contexte, l'électronique grand public apparaît comme ''un des principaux secteurs d'avenir. La maîtrise du multimédia devient un domaine stratégique aux plans politique, technologique, industriel et culturel. L'apparition de nouveaux produits (édition électronique avec le CD-ROM, logiciels éducatifs, micro-ordinateurs personnels, lecteurs de disques, téléviseurs ordinateurs, terminaux multimédias...) et de nouveaux services (consultation de banques de données au travail ou à domicile, télétravail, Internet) s'appuie sur le mariage de l'informatique, de la télévision, du téléphone et du satellite à travers la maîtrise des technologies numériques.

Le paysage audiovisuel mondial est en passe de connaître de profonds bouleversements provoqués par l'extension rapide de la télévision numérique qui, sur un même canal, permet de diffuser jusqu'à dix fois plus de chaînes. Cette offre potentielle est dénommée « bouquet

222 Géopolitique du chaos

numérique ». Aux États-Unis, Direc-TV et USSB commercialisent, à partir du satellite, deux bouquets respectivement composés de 175 et de 25 chaînes. Ces perspectives avivent une concurrence féroce entre les États-Unis, l'Europe et l'Asie. Ainsi, Philips et Sony viennent d'annoncer le lancement, dès 1997, du disque vidéo numérique (digital-vidéo-disc, DVD) qui pourrait révolutionner la hi-fi familiale en remplaçant tout à la fois le disque compact, le CD-ROM et la cassette vidéo, en offrant des capacités de stockage d'informations inégalées en qualité numérique.

La globalisation des marchés, des circuits de la finance et de l'ensemble des réseaux immatériels conduit à une radicale déréglementation comme en témoigne l'accord de Genève, du 17 février 1997, sur les télécommunications... Avec tout ce que cela signifie de déclin du rôle de l'État-nation et du service public. C'est le triomphe de l'entreprise, de ses valeurs, de l'intérêt privé et des forces du marché

Ce qui se modifie ainsi c'est également la définition même de la « liberté d'expression › La liberté d'expression des citoyens est directement mise en concurrence avec la « liberté d'expression commerciale », présentée comme un nouveau « droit de l'homme ». On assiste à une tension constante entre la « souveraineté absolue du consommateur » et la volonté des citoyens garantie par la démocratie.

C'est autour de cette revendication de « la liberté d'expression commerciale » que se sont structurées les actions de *lobbying* des organisations interprofessionnelles (annonceurs, agences publicitaires et médias) lors des débats amorcés, dans la seconde moitié des années quatre-vingt, sur les nouvelles règles de la *Télévision sans frontières*, auprès de l'Union européenne.

Cette « liberté d'expression commerciale » est indissociable du vieux principe, inventé par la diplomatie américaine, du *free flow of information* (libre flux d'informations), qui a toujours fait peu de cas de la question des inégalités en matière de communications. La doctrine de la globalisation aligne la liberté tout court sur la liberté de faire du commerce.

Depuis la seconde moitié des années quatre-vingt, des organismes comme le GATT, devenu OMC, sont devenus les lieux centraux des débats sur le nouvel ordre communicationnel. Classée comme « service », la communication a donné lieu à l'affrontement direct entre l'Union européenne et les États-Unis évoqué plus haut.

À l'occasion de ce différend, on a pu voir se creuser le fossé entre les idéologues de la marchandise — comme norme applicable à toute production — et les défenseurs des identités culturelles. Avec, de part et d'autre, des contradictions de type nouveau. Le débat est loin d'être clos. Le problème des industries de l'image a vite rejoint celui des « autoroutes de l'information », fruit de la compression numérique et du croisement du téléviseur, du téléphone et de l'ordinateur.

L'idée centrale est celle de la nécessité de laisser jouer la concurrence libre sur un marché libre entre individus libres. Elle s'exprime à peu près en ces termes : « Laissez les gens regarder ce qu'ils veulent. Laissez-les libres d'apprécier. Faisons confiance à leur bon sens. La seule sanction appliquée à un produit culturel doit être son échec ou son succès sur le marché. »

Des hommes politiques n'hésitent pas à échafauder de grandioses conclusions : les citoyens doivent se préparer à plonger dans « un monde qui baigne dans l'information ». Finies les contraintes et les entraves qui ont si longtemps assujetti l'édition, le film, l'industrie du son et l'audiovisuel.

À l'heure du multimédia et du cyberespace, une question se pose : les médias traditionnels seront-ils évincés au tournant du millénaire par ce nouveau miracle que représente Internet ? Tous les hommes seront-ils destinés à devenir citoyens égaux du cyberespace ?

En 1995, le nombre d'ordinateurs person

nels en usage dans le monde était d'environ 180 millions, pour une population globale de presque six milliards d'individus. La possibilité d'accéder à Internet était donc limitée à 3 % de personnes. En 1995, seul un petit nombre de pays riches, représentant environ 15 % de la population mondiale, possédaient environ les trois quarts des principales lignes téléphoniques, sans lesquelles on ne peut accéder à Internet... Plus de la moitié de la planète ne s'était jamais servie d'un téléphone : dans quarante-sept pays, il n'y avait pas une seule ligne pour cent habitants.

En janvier 1996, on estimait que 60 % des ordinateurs reliés à Internet appartenaient à des Américains. Le langage dominant du cyber-espace ? L'anglais.

Les disparités sociales provoquées par l'ère de l'électronique risquent d'être comparables aux inégalités résultant des immenses investissements financiers transnationaux. Quant aux forces économiques qui se sont emparées des réseaux, elles sont en train de généraliser, pis, de renforcer les obstacles qui en interdisent l'accès au commun des mortels.

Les enjeux sont cruciaux pour l'avenir. Le programme américain, *The National Information Infrastructure*, bible de William Clinton et de son vice-président Albert Gore, est clair : « Il

revient à la libre entreprise d'assurer le développement du programme des inforoutes. »

Avec la privatisation rampante, les réseaux,
et surtout Internet, seront progressivement
libérés de toute obligation de service public au
profit des intérêts privés.

Dans les pays pauvres, pas moins de vingt-six
compagnies de téléphone seront mises en vente
dans les trois prochaines années. La norme globale de l'avenir ? La propriété privée de toutes
les structures qui constituent la plate-forme du
cyberespace.

Les géants des télécommunications tels que
AT & T, Microsoft et MCI se livrent à une féroce
compétition. Ils espèrent fermement coloniser
le cyberespace en alliant la notoriété de leur
nom aux prouesses de leurs équipes de marketing : ce qui leur fournira des moyens prodi-
gieux dans le domaine des services à la clientèle
et des modes de facturation. Et leur permet-
tra d'envisager la conquête d'Internet. Car la
bataille décisive, à l'échelle planétaire, a pour
enjeu le contrôle des trois secteurs industriels
— ordinateurs, télévision, téléphonie — qui
fusionnent désormais sur Internet. Le groupe
qui régnera sur Internet dominera le monde
de la communication de demain, avec tous les
risques que cela suppose pour la culture et pour
la liberté d'esprit des citoyens.

On ne présente plus Internet, ce réseau électronique qui permet de relier tous les ordinateurs de la planète. Pratiquement inconnu du grand public il y a à peine trois ans, Internet est devenu un phénomène social mondial qui suscite enthousiasmes et controverses. Comme souvent, lorsque fait irruption une innovation technologique accompagnée d'un effet de mode, beaucoup s'extasient, d'autres sont effrayés.

Si les origines du réseau remontent à la fin des années soixante, sa véritable naissance date de 1974, quand, répondant à un souhait du Pentagone, un professeur de l'université de Californie à Los Angeles, Vint Cerf, mit au point la norme commune permettant de fédérer tous les ordinateurs et lui donna son nom : Internet. Vint Cerf avait découvert que les ordinateurs, comme les hommes, sont grégaires, et qu'ils ne sont jamais aussi efficaces que lorsqu'ils sont reliés à d'autres ordinateurs.

Mais le développement massif de la galaxie Internet est beaucoup plus récent, il date en fait de 1989 lorsque, à Genève, des chercheurs du CERN mirent au point le World Wide Web, la «Toile», fondé sur une conception hypertexte qui a transformé Internet en réseau plus convivial. Grâce au Web, le nombre d'ordinateurs connectés dans le monde double chaque année, et le nombre de sites Web tous les trois

mois. On estime que, en l'an 2000, il y aura
environ 300 millions d'utilisateurs d'Internet ;
et que le temps passé devant un écran d'ordinateur sera supérieur, dans les pays développés, à celui passé devant l'écran de la télévision.
Courrier électronique, forums de discussion et
consultation d'archives sont les utilisations les
plus fréquentes ; elles sont rapides, faciles, inter-
actives et peu onéreuses.

Structuré en mailles de filet, Internet est très
résistant (il a été conçu, au moment de la
guerre froide, pour survivre à une agression
nucléaire). On dit qu'il est « aussi difficile à
détruire qu'une toile d'araignée avec une balle
de fusil ». Son protocole est du domaine public
et n'appartient à aucune firme commerciale.
Indestructible, décentralisé, propriété de tous,
Internet — utilisé surtout, dans les premières
années, par les professeurs universitaires et les
milieux de la contre-culture américaine — a fait
renaître le rêve utopique d'une communauté
humaine harmonieuse, planétaire, où chacun
s'appuie sur d'autres pour perfectionner ses
connaissances et aiguiser son intelligence.

Ces caractéristiques, indiscutables, ne doivent
pas nous empêcher de réfléchir aux dangers qui
planent actuellement sur Internet. D'une part,
sectes, négationnistes et autres pornographes
envahissent déjà le réseau ; d'autre part, les

entreprises commerciales songent à en prendre le contrôle, alors que les deux tiers de l'humanité sont, de fait, exclus d'Internet. Une foule de problèmes nouveaux se posent, juridiques, éthiques, politiques, culturels. Internet parviendra-t-il à demeurer longtemps un espace de communication libre, peu cher, ouvert aux citoyens, et à l'abri des grands prédateurs du multimédia ?

Ce qui menace réellement Internet c'est la tentation, de plus en plus manifeste, des grands mastodontes de la communication de s'emparer commercialement du « réseau des réseaux ». Les marchands se lancent à l'assaut d'Internet parce qu'ils y voient une nouvelle source d'inépuisables profits. Selon eux, l'*ère cyber* succède à l'ère de la télévision et, comme celle-ci, elle devrait procurer des bénéfices à très grande échelle. Il suffit de voir avec quel acharnement le géant Microsoft entreprend actuellement sa conquête.

L'essor d'Internet crée une nouvelle inégalité entre les *inforiches* et les *infopauvres*. Non seulement au Nord, dans les pays développés, où seule une minorité dispose d'ordinateur personnel, mais surtout au Sud, où le manque d'équipements minimaux marginalise des millions de personnes. Il y a, par exemple, davantage de lignes téléphoniques installées dans la seule île de Manhattan (New York) que dans toute l'Afrique noire, et, on le sait, sans un téléphone connecté à un ordinateur, impossible d'accéder à Internet. Et ne parlons pas du sous-équipement en matière d'électricité (plus de deux milliards de personnes ne disposent pas d'électricité sur la planète) ainsi que de la désastreuse situation en matière d'alphabéti-sation.

Il ne fait pas de doute qu'avec Internet, média désormais aussi banal que le téléphone, nous entrons dans une nouvelle ère de la com-munication. Beaucoup estiment, non sans ingé-nuité, que plus il y aura de communication dans nos sociétés, plus l'harmonie sociale y régnera. Ils se trompent. La communication, en soi, ne constitue pas un progrès social. Et encore moins quand elle est contrôlée par les grandes firmes commerciales du multimédia. Ou quand elle contribue à creuser les différences et les inégali-tés entre citoyens d'un même pays, ou habitants d'une même planète.

Où Internet est-il le plus utilisé? Dans le domaine commercial. En octobre 1996, le « com-mercial » comprend plus du quart de tous les hôtes du réseau, surpassant largement le domaine de l'«éducatif» utilisé par les institu-tions universitaires.

Et pourtant, le rêve qu'incarne Internet, celui

d'un échange d'information universel et sans entraves, est loin d'être mort. Mais, aussi longtemps que la transmission du savoir continuera à suivre les normes imposées par le pouvoir politico-économique, cet idéal d'une « démocratie de l'information » restera au stade de l'utopie.

En 1961, quittant la Maison-Blanche, le général Eisenhower déclarait que le complexe militaro-industriel était une « menace pour la démocratie ». En 1996, au moment où s'installe un véritable complexe industrialo-informationnel, et alors même que certains leaders américains parlent de *virtual democracy* avec des accents qui rappellent l'intégrisme mystique, comment ne pas voir la menace d'une véritable vassalisation cybernétique ?

Déjà peu fiable, le système d'information se trouve au seuil d'une révolution radicale avec l'avènement d'Internet et du multimédia que certains comparent, par les chamboulements induits, à l'invention de l'imprimerie par Gutenberg. L'articulation du téléviseur, de l'ordinateur et du téléphone, crée une nouvelle machine à communiquer, interactive, fondée sur les performances du traitement numérique. En assemblant les talents multiples de médias dispersés (auxquels s'ajoutent la télécopie, la télématique et la monétique), le multimédia marque une rupture et pourrait bouleverser tout le champ de la communication. Ainsi que la donne économique, comme l'espère le président américain, William Clinton, qui a lancé l'ambitieux projet des autoroutes électroniques pour redonner aux États-Unis le rôle de chef de file dans les industries du futur.

De gigantesques concentrations se poursuivent entre les mastodontes du téléphone, du câble, de l'informatique, de la publicité, de la vidéo et du cinéma. Rachats et fusions se succèdent, mobilisant des dizaines de milliards de dollars... Certains rêvent d'un marché parfait de l'information et de la communication, totalement intégré grâce aux réseaux électroniques et satellitaires, sans frontières, fonctionnant en temps réel et en permanence ; ils l'imaginent construit sur le modèle du marché des capitaux et des flux financiers ininterrompus...

Les citoyens se souviennent des mises en garde lancées naguère par George Orwell et Aldous Huxley contre le faux progrès d'un monde administré par une police de la pensée. Ils redoutent la possibilité d'un conditionnement subtil des mentalités à l'échelle de la planète. Dans le grand schéma industriel conçu par les patrons des entreprises de loisirs, chacun constate que l'information est avant tout considérée comme une marchandise ; et que ce caractère l'emporte, de loin, sur la mission fondamentale des médias : éclairer et enrichir le débat démocratique[1].

Les nouvelles technologies ne pourront contribuer au perfectionnement de la démocratie que si nous luttons, en premier lieu, contre la caricature de société mondiale que préparent les multinationales lancées à tombeau ouvert dans la construction des autoroutes de l'information.

Venant encore une fois des États-Unis, mais allégrement relayée par les Européens, cette nouvelle prédication sert les intérêts de l'ultralibéralisme. La nouvelle aristocratie planétaire de la finance, des médias, des ordinateurs, des télécommunications, des transports et des loisirs trépigne d'aise et de suffisance. Elle se proclame le moteur de la société de la connaissance, de la révolution de l'intelligence.

Les réseaux mondiaux d'entreprises en concurrence comptent sur les autoroutes de l'information et de la communication pour mieux gérer leurs affaires, appliquer leurs stratégies de conquête, développer et imposer leurs normes, défendre les positions monopolistiques acquises sur les marchés.

1. Lire Ignacio Ramonet, *La Tyrannie de la communication*, Galilée, Paris, 1999.

Il en va de même du capitalisme financier. L'une des plus grandes contributions des nouvelles technologies à l'économie contemporaine a été l'accélération des mouvements des capitaux. Dans ce contexte, la techno-utopie de la société de l'information sert à la nouvelle classe dirigeante planétaire pour affirmer et faire accepter la mondialisation, c'est-à-dire la libéralisation totale de tout marché, partout dans le monde.

Selon les nouveaux maîtres du monde, la société de l'information appelle de nouvelles formes de régulation allant au-delà de l'État. Ils exigent que la régulation soit laissée au seul marché global.

# DU KOSOVO
## AU NOUVEL ORDRE GLOBAL

La guerre qui a opposé, au printemps 1999, l'Organisation du traité de l'Atlantique Nord (OTAN) à la République fédérale de Yougoslavie a ouvert une nouvelle étape dans l'histoire des relations internationales. Elle annonce l'aube d'un nouvel ordre global. Une ère neuve a débuté ce 24 mars 1999, date des premiers bombardements contre le régime de Belgrade.

Nous savions que la guerre froide s'était achevée en novembre 1989 avec la chute du mur de Berlin, et que l'après-seconde guerre mondiale s'était terminée en décembre 1991 avec la disparition de l'Union soviétique ; désormais nous savons que la crise du Kosovo clôt une décennie (1991-1999) d'incertitudes, de désordres et de tâtonnements en matière de politique internationale, et esquisse un cadre nouveau pour le XXIe siècle.

La mondialisation économique — qui constitue, de loin, la dynamique dominante de notre temps — avait besoin d'être complétée par un projet stratégique global en matière de sécurité. Le conflit du Kosovo a fourni l'occasion d'en dessiner les grands traits. Cette *première* guerre de l'OTAN apparaît, à cet égard, effectivement inaugurale. Pour la communauté mondiale, cela représente un véritable saut dans l'inconnu, une avancée dans un territoire inexploré qui réserve sans doute beaucoup de bonnes surprises mais également nombre d'embûches et de dangers.

Les causes, la conduite et les finalités de cette guerre, en effet, ne correspondent en rien à celles qui étaient habituelles dans des conflits de même nature.

*Causes.* Prenant prétexte des atrocités commises au Kosovo par le régime de Belgrade, l'OTAN a avancé, comme causes du conflit, des arguments d'ordre humanitaire, moral et même civilisationnel — c'est « un combat pour la civilisation », a déclaré, par exemple, M. Lionel Jospin, Premier ministre français[1]. L'histoire, la culture, l'économie et la politique, causes de tous les conflits depuis les guerres puniques[2], prenaient soudain des dimensions obsolètes. Ce qui consti-

---

1. *Le Monde*, 22 mai 1999.
2. Les trois conflits qui opposèrent, aux IIIe et IIe siècles av. J.-C., Rome et Carthage.

tue une révolution, non seulement d'ordre militaire, mais tout simplement d'ordre mental.

Au nom de l'ingérence humanitaire, considérée désormais comme moralement supérieure à tout, l'OTAN n'a pas hésité à transgresser deux interdits majeurs de la politique internationale : la souveraineté des États et les statuts de l'Organisation des Nations unies.

La souveraineté résidait, sous l'Ancien Régime, dans la personne du roi « par la grâce de Dieu ». Sous l'influence des philosophes des Lumières, les révolutions américaine (1776) et française (1789), comme toutes les démocraties depuis, font résider la souveraineté dans le peuple (« Le principe de toute souveraineté réside essentiellement dans la nation », dit l'article 3 de la Déclaration des droits de l'homme et du citoyen d'août 1789).

Ce principe de souveraineté autorise un gouvernement à régler ses conflits internes en fonction de ses propres lois, élaborées par son Parlement où siègent les représentants de la nation, et sans que nul ne puisse s'immiscer dans les affaires intérieures d'un État. C'est ce principe, vieux de deux siècles, qui a volé en éclats le 24 mars 1999. Certains disent, non sans raison : tant mieux car, à l'abri de ce principe qui interdit aux autres pays de venir au secours des victimes, trop d'abus ont été commis par des États contre leurs propres citoyens.

Et, dans le cas de la Yougoslavie, beaucoup estiment que si M. Slobodan Milosevic a été formellement élu par voie démocratique, il n'en demeure pas moins un despote, inspirateur d'une odieuse politique de nettoyage ethnique. Or un despote, un tyran ou un dictateur ne tiennent pas leur légitimité du peuple ; donc, la souveraineté de leur État n'est qu'un artifice légal leur permettant de pratiquer l'arbitraire. Une telle souveraineté ne mérite nullement d'être respectée ; encore moins si le despote se livre à des violations des droits humains ou à des crimes contre l'humanité

Nous avons également vu, récemment, que même des décisions souveraines (prises par l'ensemble des principales forces politiques de droite et de gauche) d'un pays démocratique comme le Chili, concernant un ancien dictateur, le général Augusto Pinochet, n'ont pas été respectées. Elles n'ont pu éviter l'arrestation de l'ancien dictateur à Londres et la demande d'extradition vers l'Espagne, pour être jugé pour crimes contre l'humanité.

Et la création d'une Cour pénale internationale (à laquelle les États-Unis demeurent hostiles) a pour but de juger les auteurs de crimes contre l'humanité, imprescriptibles, et ce indépendamment de toute décision légale adoptée par un État souverain.

De surcroît, la mondialisation qui élimine les frontières, homogénéise les cultures et réduit les différences, met à mal l'identité et la souveraineté des États. Comme l'affirme Alain Joxe · «La constitution d'un Empire universel (américain) par l'extension de l'économie de marché provoque des balkanisations-libanisations par destruction des prérogatives régulatrices des États traditionnels[1]. »

Où réside désormais la souveraineté d'un pays? Va-t-on vers l'instauration, à l'échelle planétaire et sous l'égide de l'Occident, de «souverainetés limitées», semblables à celles que voulaient instaurer, dans les années soixante-dix, Leonid Brejnev et l'URSS à l'égard des États du camp socialiste? Faut-il envisager, dans cet esprit, la résurrection de la vieille figure coloniale du «protectorat», comme on l'avait prévu, en 1991 déjà, pour la Somalie, comme on le pratique de fait en Albanie, et désormais, sous l'égide de l'ONU, au Kosovo et au Timor-Oriental?

La souveraineté est passée, à la fin du XVIII^e siècle, de Dieu à la nation, va-t-elle résider désormais dans l'individu? Va-t-on vers l'apparition, après l'État-nation, de l'«État-individu»?

---

1. Alain Joxe, «Le nouveau statut des alliances dans la stratégie américaine», *Cahiers d'études stratégiques*, n^o 20, Paris, printemps 1997.

Chaque individu se voyant reconnaître les attributs et les prérogatives qu'avaient jusqu'à présent les États? Indiscutablement, la mondialisation et son idéologie, ultralibéralisme plus « droit-de-l'hommisme », s'accommoderaient, voire encourageraient, une telle transformation que les nouvelles technologies de la communication et de l'information rendent, techniquement, envisageable.

Concernant l'ONU, les bombardements contre la Yougoslavie ont été décidés par l'OTAN sans que nulle résolution du Conseil de sécurité ne les autorise explicitement. C'est la première fois que l'on assiste, dans une affaire aussi grave, à la mise à l'écart de l'ONU, la seule plate-forme internationale pour la résolution de conflits et le maintien de la paix.

De nombreux indices, depuis le début des années quatre-vingt-dix, indiquaient que les États-Unis ne souhaitaient plus voir l'ONU jouer leur rôle : non-renouvellement du mandat de M. Boutros Boutros-Ghali, remplacé par le nouveau secrétaire général, M. Kofi Annan, supposé être plus docile à l'égard des thèses de Washington ; signature des accords de Dayton sur la Bosnie, sous égide américaine, et non sous celle des Nations unies ; *idem* pour les accords israélo-palestiniens de Wye River ; décision unilatérale de bombarder l'Irak sans décision de l'ONU, etc.

En fait, tout indique que les États-Unis ne s'accommodent plus de l'ONU, et que, dans leur situation d'hégémonie actuelle, ils n'acceptent plus d'être bridés par les procédures légalistes des Nations unies. On s'aperçoit ainsi que l'existence de celles-ci, tout au long de ce siècle (sous la forme d'abord de la Société des nations), n'était pas due à une avancée de la civilisation comme on le croyait, mais simplement à l'existence simultanée de puissances d'envergure comparable dont aucune ne pouvait, militairement au moins, l'emporter sur les autres. Un tel équilibre a été rompu avec la disparition de l'Union soviétique et, pour la première fois depuis deux siècles, un pays — une «hyperpuissance» comme la qualifie le ministre français des Affaires extérieures, M. Hubert Védrine — domine le monde de manière écrasante dans les cinq domaines essentiels de la puissance : politique, économique, militaire, technologique et culturel. Ce pays — les États-Unis — ne voit pas pourquoi il partagerait ou limiterait son hégémonie alors qu'il peut l'exercer pleinement sans que nul (pas même les Nations unies) ne la lui puisse contester.

Effectuées au nom de l'humanitaire, ces deux transgressions — non-respect de la souveraineté et non-acceptation du magistère des Nations unies — ne vont pas sans poser quelques problèmes. Par exemple : comment concilier préoccupation humanitaire et usage de la force ? Peut-il y avoir des « bombardements éthiques », surtout quand de multiples erreurs de tirs font des centaines de victimes civiles ? Peut-on parler de « guerre juste » quand la disproportion militaire et technologique entre les adversaires est abyssale ? Au nom de quelle morale la légitime protection des Kosovars doit-elle supposer la destruction des Serbes ? Ces questions hantent la conscience de la plupart des actuels dirigeants sociaux-démocrates (anciens soixante-huitards, anciens trotskistes, anciens maoïstes, anciens communistes, anciens pacifistes…) qui firent partie de la Love Generation, du Flower Power, qui criaient : « *Make love, not war* » en fredonnant des chansons antimilitaristes (*cf.* Donovan, « Universal Soldier ») et s'opposèrent farouchement jadis à la guerre du Vietnam (une « juste cause » pourtant, selon les critères d'aujourd'hui…).

Certains dirigeants écologistes, en Europe, ont eu du mal à concilier une attitude rageusement va-t-en-guerre et leur discours traditionnel sur la protection de l'environnement. Ils ont constaté que la guerre en Yougoslavie, comme toute guerre, était, en soi, une catastrophe écologique : destructions de raffineries de pétrole avec dégagements de nuages toxiques ; bombardements d'usines chimiques qui ont pollué les rivières et tué la faune ; lancement de bombes au graphite dégageant des poussières cancérigènes ; largage de bombes à uranium appauvri radioactives ; usage de bombes à fragmentation qui sèment des centaines d'engins assimilables à des mines antipersonnel (les États-Unis ayant refusé de signer le traité d'Ottawa qui en interdit l'usage) ; délestage de bombes activées dans l'Adriatique qui menacent les pêcheurs, etc.

D'autres se demandent pourquoi, au nom de l'ingérence humanitaire, l'OTAN n'intervient pas dans d'autres pays en faveur de populations en détresse. Par exemple : au Sud-Soudan, en Sierra Leone, au Liberia, en Angola, au Tibet, etc. D'autres encore constatent que l'humanitaire n'échappe pas, parfois, au principe des deux poids, deux mesures. Ainsi, s'agissant de l'Irak — que les États-Unis et le Royaume-Uni ont continué de bombarder quotidiennement, tout au long de l'année 1999, sans le moindre mandat international —, la France, la Russie et la Chine sont favorables, au nom de l'humanitaire, à une levée de l'embargo décidée par les

Nations unies, mais les deux autres membres permanents du Conseil de sécurité — États-Unis et Royaume-Uni — s'y opposent systématiquement, et ce malgré le fait que cet embargo ait déjà causé, directement ou indirectement, depuis 1991, la mort de plus d'un million de civils innocents...

Enfin, sur le droit d'ingérence humanitaire, d'aucuns remarquent qu'il ne devrait pas seulement être un droit du plus fort. Mais comment les faibles pourraient-ils user d'un tel droit? Imagine-t-on, par exemple, tel pays africain intervenant, au nom de ce droit d'ingérence, dans tel État américain pour protéger les Noirs victimes de violations des droits humains? Ou un pays d'Afrique du Nord intervenant dans un État d'Europe où les ressortissants maghrébins seraient l'objet de discriminations systématiques?

Et pourquoi ne pas imaginer, comme le font certains, un droit d'ingérence sociale? N'est-il pas scandaleux qu'il y ait, au sein de l'Union européenne, 50 millions de pauvres? Ne s'agit-il pas là d'une violation majeure des droits humains? Peut-on accepter que, à l'échelle de la planète, un être humain sur deux vive avec moins de 10 F (1,53 euro) par jour? Que 1 milliard de personnes vivent dans l'extrême pauvreté avec moins de 5 F (0,76 euro) par jour?

Ce qu'a dépensé quotidiennement l'OTAN en bombardant la Yougoslavie (64 millions de dollars, soit 59 millions d'euros) aurait permis de nourrir, chaque jour, 77 millions de personnes…

*Conduite*. Ce conflit dans les Balkans a été également, dans sa conduite, une guerre de nouveau type. Jamais, dans l'histoire militaire, un affrontement n'a été dirigé comme l'a fait le général américain Wesley Clark, commandant suprême de l'OTAN. Le principe du «zéro mort» est devenu un impératif absolu. Après deux mois de bombardements, pas un seul militaire de l'Alliance n'avait trouvé la mort en action de guerre. Cela ne s'était jamais vu.

Les pertes matérielles ont été insignifiantes. Alors que le nombre de missions aériennes a dépassé les 25 000, seuls deux avions ont été perdus (mais leurs pilotes furent récupérés sains et saufs, en terrain ennemi, par des commandos spécialisés) et une dizaine de drones (avions sans pilote de recherche de renseignements), ce qui a pratiquement confirmé le projet du général Clark de faire une «guerre sans perte d'avions[1]». Aucun navire, aucun char, aucun hélicoptère de l'OTAN n'a été endommagé en action de guerre.

1. *International Herald Tribune*, 18 mai 1999.

En revanche, les destructions matérielles subies par la Yougoslavie ont été considérables. Les infrastructures militaires et industrielles (dont les usines électriques) ont été largement abîmées ou rendues inutilisables, de même que les principales voies de communication (dont les ponts, les chemins de fer et les autoroutes). Tous les systèmes électroniques ont été brouillés, les communications téléphoniques écoutées en permanence. Plusieurs milliers de militaires serbes auraient été tués et des dizaines de milliers blessés. Selon certains généraux américains, le pays aurait été ramené deux décennies en arrière…

Le rapport militaire était tellement inégal entre les forces de l'OTAN et celles de la Yougoslavie qu'il est, en effet, impropre à cette occasion de parler de guerre. C'était en réalité une punition. Une punition comme aucun pays (à l'exception de l'Irak) n'en a jamais reçu. Car la stratégie de l'OTAN (bombarder à l'aide de «bombes intelligentes» à plus de 5 000 mètres d'altitude, afin de mettre les avions à l'abri des canons de la DCA et des missiles sol-air de type Sam-7) a contraint la Yougoslavie a rester passive, quasiment impuissante à l'égard des forces de l'Alliance, qui sont demeurées tout au long du conflit hors de sa portée.

Mais en réalité, nous avons eu affaire à deux guerres. L'une du fort au faible, de l'OTAN contre la Yougoslavie, qui était, nous l'avons dit, plutôt une punition. L'autre, du faible au plus faible, de la Serbie contre les Kosovars, des forces de Belgrade contre l'UCK. D'un côté une guerre sophistiquée, électronique et technologique, de l'autre massacres à la tronçonneuse, déportations de masse, viols et exécutions sommaires.

Autre originalité de ce conflit, l'OTAN a déclaré explicitement qu'elle ne voulait pas tuer. Même pas les militaires serbes, encore moins les civils. Ce fut une guerre d'engins contre engins, de machines contre machines. Presque un vidéo-jeu. Et dès que, en raison d'une erreur de tir, des innocents étaient tués, l'Alliance, tout en s'efforçant de camoufler l'erreur, s'est confondue en repentances, excuses, regrets, remords et autres demandes de pardon.

Écraser l'adversaire, dans l'abstrait, oui ; tuer un ennemi concret, non. « Dans la néo-guerre — observe Umberto Eco — perd devant l'opinion publique celui qui a trop tué[1]. » Telle est la nouvelle loi qu'impose cette guerre. Et sur laquelle veillent attentivement les médias. La manipulation de ceux-ci demeurant l'un des objectifs principaux des parties en conflit. À cet égard, cette guerre n'apporte aucune

---

1. *Le Figaro*, 3 mai 1999

innovation majeure par rapport au modèle Malouines[1] mis au point par les Britanniques dès 1982 et que l'on vit à l'œuvre, en particulier, durant la guerre du Golfe. Pour l'essentiel, l'OTAN applique un dispositif élaboré en 1986 et corrigé par les leçons tirées de la guerre du Golfe. Il s'agit, en deux mots, de rendre la guerre *invisible* et de s'ériger en source principale d'information des journalistes. Ceux-ci, indiscutablement plus prudents, ne parviennent pas toujours à éviter cette nouvelle forme de censure démocratique et de propagande affable. D'autant que, de l'autre côté, la censure traditionnelle et la propagande grossière aident encore moins à la manifestation de la vérité.

Ainsi les médias en ont été réduits, tout au long de ce conflit, à commenter une image centrale *absente* : celle des atrocités commises par les forces de Belgrade contre les populations civiles du Kosovo. Beaucoup de témoignages de déportés décrivaient ces crimes, dont la réalité ne faisait pas de doute[2], comme l'ont d'ailleurs prouvé les découvertes de charniers après l'en-

1. Lire Ignacio Ramonet, *La Tyrannie de la communication*, *op. cit.*
2. *Cf.* William Branigin, « U.S. Details Serb Terror in Kosovo », *International Herald Tribune*, 12 mai 1999.

trée de troupes de la force multinationale
(KFOR) au Kosovo, mais nulle image ne nous
avait montré ces crimes au moment où ils
se produisaient, nul reporter ne les avait vus
de ses yeux. Ce qui a constitué un échec pour
la machine médiatique, notamment audiovisuelle, qui, depuis une dizaine d'années, tente
de nous persuader qu'informer cela consiste,
pour l'essentiel, à nous faire assister à l'événement.

D'où aussi, les polémiques. Entre les défenseurs de la «vérité officielle» de l'OTAN et
quelques observateurs de terrain dissidents
et iconoclastes[1]. Ainsi, au Royaume-Uni, le
ministre des Affaires étrangères, M. Robin
Cook, n'a pas hésité à s'en prendre publique-
ment au correspondant de la BBC à Belgrade,
John Simpson, en l'accusant d'être un «com-
plice de Milosevic», simplement parce que le
journaliste avait attiré l'attention sur l'existence,
en Serbie, d'opposants démocrates au régime,
sur les centaines d'écoles détruites, etc. Le gouvernement (travailliste) britannique alla jusqu'à
faire pression et demander le rapatriement du
journaliste, ce que la BBC refusa. En Italie, le
correspondant de la RAI, Ennio Remondino,

---

1. Lire Robert Fisk, «Mensonges de guerre au Kosovo»,
*Le Monde diplomatique*, août 1999.

qui critiqua très durement les bombardements de Belgrade, et en particulier celui du bâtiment de la télévision serbe, fut férocement pris à partie par des journalistes et des intellectuels « en uniforme » qui l'ont traité d'« agent de Milosevic ». En France enfin, les observations ramenées par Régis Debray, après un court séjour au Kosovo, ont valu à cet intellectuel, parce qu'elles ne cadraient pas avec la vérité officielle, un véritable procès en sorcellerie[1].

*Finalités.* Concernant les finalités, les buts, les objectifs réels de cette guerre, l'Union européenne et les États-Unis poursuivaient, chacun de leur côté et pour des motifs différents, des desseins fort précis mais non rendus publics.

L'Union européenne l'a fait pour des considérations stratégiques. Mais l'importance stratégique d'une région n'est plus ce qu'elle était. Naguère une zone était « stratégiquement importante » lorsque sa possession apportait un avantage militaire considérable (accès à la mer, à un fleuve navigable, à un relief dominant, à une frontière naturelle, etc.), permettait de contrôler des richesses décisives (pétrole, gaz,

1. Lire la réponse de l'écrivain à ses détracteurs : Régis Debray, « Une machine de guerre », *Le Monde diplomatique*, juin 1999.

charbon, fer, eau, etc.) ou des routes commerciales vitales (détroits, canaux, cols, vallées etc.).

À l'heure des satellites, de la mondialisation, et de la « nouvelle économie » basée sur les technologies de l'information, une telle conception de l'« importance stratégique » s'est largement effondrée. À cet égard, le Kosovo ne présente pas d'intérêt stratégique. Sa possession n'apporterait, à la puissance occupante, ni avantage militaire, ni richesse décisive, ni contrôle d'une route commerciale vitale.

Où réside désormais, pour une entité opulente comme l'Union européenne, l'importance stratégique d'un territoire ? Essentiellement dans la capacité de celui-ci à exporter des nuisances : chaos politique, pauvreté chronique, émigration clandestine, délinquance, mafias liées à la drogue, etc. De ce point de vue, pour l'Europe, deux régions présentent, depuis la chute du mur de Berlin, une importance stratégique de premier ordre : le Maghreb et les Balkans.

La crise du Kosovo s'est envenimée après l'implosion de l'Albanie en 1997, lorsque ce pays plongea dans le chaos, fournissant alors, indirectement, aux combattants de l'UCK à la fois l'occasion de se procurer facilement des armes et d'établir un sanctuaire sûr pour leurs

incursions au Kosovo. Cette « guerre de libération » d'un territoire, fanatiquement revendiqué
par deux adversaires déterminés à aller jusqu'au bout, menaçait d'être longue et cruelle.
L'Union européenne pouvait-elle se permettre
de vivre, pendant cinq ou dix ans, avec ce type
de conflit à ses marches? Avec les risques de
retombées prévisibles en Macédoine et sur le
reste des Balkans? Avec des dizaines de milliers
de réfugiés cherchant à gagner, via l'Italie, le
reste des pays de l'Union? La réponse à ces
questions ce fut les bombardements de l'OTAN.

Pour les États-Unis, le Kosovo ne présente, en
revanche, aucun intérêt stratégique, ni au sens
ancien, ni moderne. Pour eux, qui sont entrés à
reculons dans la crise des Balkans dès 1991, l'affaire du Kosovo leur fournit un prétexte idéal
pour boucler un dossier auquel ils tiennent fortement : la nouvelle légitimation de l'OTAN.
Cette organisation de défense, mise sur pied à
l'époque de la guerre froide, avait été conçue
pour affronter l'attaque d'un adversaire précis : l'Union soviétique. Avec la disparition de
l'URSS, en décembre 1991, l'effondrement des
pays communistes et la dissolution du Pacte de
Varsovie, l'OTAN aurait dû elle-même se dis-
soudre. Et être remplacée, en Europe occidentale, par une organisation de défense spécifique.
Ce à quoi s'oppose Washington qui souhaite

demeurer une puissance européenne et qui a tout fait pour renforcer l'OTAN et étendre son influence en accueillant en son sein trois pays de l'Est (Pologne, Tchéquie, Hongrie). « Indiscutablement — observe un analyste américain — l'OTAN a été maintenue en raison de l'influence politique qu'elle procure aux États-Unis en Europe, et parce qu'elle bloque le développement d'un système stratégique européen rival de celui de États-Unis[1]. »

La crise du Kosovo a fourni aux États-Unis l'occasion d'appliquer le Nouveau concept stratégique de l'OTAN, quelques semaines avant son adoption officielle à Washington le 25 avril 1999[2]. Le résultat n'est pas concluant. Les puissances occidentales ont dû admettre, pour arrêter un conflit qui a duré presque trois mois et qui menaçait de faire éclater l'alliance, ce qu'elles avaient refusé d'accepter en février 1999 à Rambouillet : l'accord de paix avec Belgrade a été signé sous l'autorité des Nations unies et par décision du Conseil de sécurité ; les forces de l'OTAN ne peuvent se déployer sur

1. *Cf.* William Pfaff, « What Good Is NATO if America Intends to Go It Alone ? », *International Herald Tribune*, 20 mai 1999.
2. Lire de larges extraits du document définissant le « Nouveau concept stratégique de l'Alliance », in *El País*, Madrid, 26 avril 1999.

tout le territoire yougoslave, elles restent confi-
nées à l'intérieur des frontières du Kosovo et
ne sont pas les seules forces de maintien de la
paix (les Russes en particulier y sont également
présents) ; enfin, le Kosovo relève de la souveraineté de Belgrade et le projet d'autodétermi-
nation du territoire au bout d'une période de
deux ans (que réclamait l'UCK soutenue par
les États-Unis) a été abandonné. Étayée par les
tragiques cafouillages au Kosovo des forces de
la KFOR, impuissantes à rétablir l'ordre et à
empêcher les multiples actes de vengeance et
les massacres de civils serbes et de Tziganes,
l'impression de non-victoire s'est traduite par
le limogeage camouflé du général Wesley Clark,
remplacé à la tête des forces de l'OTAN avant
même la fin de son mandat.

Au point que certains officiers américains se
demandent si, tout compte fait, il n'eût pas été
plus efficace d'intervenir au Kosovo sous mandat des Nations unies, comme dans le Golfe,
plutôt que dans le cadre de l'OTAN avec les
complications qu'ont imposées les consultations permanentes de 19 gouvernements, dont
certains, comme le grec, étaient manifestement
hostiles à l'intervention[1].

Et il eût été encore plus facile, pour les États-

---

1    *Cf.* William Pfaff, *op. cit.*

Unis, d'agir unilatéralement. Leur suprématie militaire le leur aurait permis. Pour imposer, sous l'empire du marché, un nouvel ordre global. Est-ce choquant? Non, affirme l'amiral William J. Perry, ancien secrétaire à la Défense du président Clinton : « Les États-Unis étant le seul pays avec des intérêts globaux, ils sont le leader naturel de la communauté internationale[1]. »

1. William J. Perry, « La construction d'alliances par le leadership global et la dynamique d'enlargement » (discours du 4 mars 1996), in *Cahiers d'études stratégiques, op. cit.*

dominantes au début
du XXIème siècle
- mondialisation de l'économie
- marchandisation généralisée
- incertitude
- censure et manipulation
- technologies de l'information

*Postface*

## LE MODÈLE ARCHIPEL

Il est bien loin le temps où, après la guerre du Golfe (1991), Washington pouvait annoncer la naissance d'un « nouvel ordre mondial ». En fait, en matière de géostratégie et de géopolitique, tout s'est effroyablement compliqué. Au point que l'on peut effectivement parler de « géopolitique du chaos » pour définir cette période que vit le monde.

L'incertitude reste le maître mot du moment, et chacun recherche les principes fondateurs, les lignes directrices qui permettraient de cartographier la mutation actuelle, et mieux comprendre le sens de l'évolution de la politique internationale en cette fin de siècle. Car tout est lié, politique, économie, société, culture et écologie.

La dynamique dominante, en cette fin de siècle, est la mondialisation de l'économie. Elle se fonde sur l'idéologie de la « pensée unique », laquelle a décrété qu'une seule politique économique est désormais possible, et que seuls les critères du marché et du néolibéralisme (compétitivité, productivité, libre-échange, rentabilité, etc.) permettent à une société de survivre dans une planète devenue jungle concurrentielle. Sur ce noyau dur de l'idéologie contemporaine viennent se greffer de nouvelles mythologies qui tentent de faire accepter aux citoyens le nouvel état du monde.

La marchandisation généralisée des mots et des choses, des corps et des esprits, de la nature et de la culture, qui est la caractéristique centrale de notre époque, place la violence au cœur du nouveau dispositif idéologique. Celui-ci, plus que jamais, repose sur la puissance des médias de masse en pleine expansion à cause de l'explosion des nouvelles technologies. Au spectacle de la violence, et à ses effets mimétiques, s'ajoutent de plus en plus, de manière très insidieuse, des formes neuves de censure et d'intimidation qui mutilent la raison et oblitèrent l'esprit.

Alors que triomphent, apparemment, la démocratie et la liberté dans une planète partiellement débarrassée des régimes autoritaires, les censures et les manipulations, sous des aspects fort divers, font un paradoxal retour en force. De nouveaux et séduisants «opiums des masses » proposent une sorte de « meilleur des mondes », distraient les citoyens et les détournent de l'action civique et revendicative. Dans ce nouvel âge de l'aliénation, à l'heure de la *world culture*, de la « culture globale », et des messages planétaires, les technologies de la communication jouent, plus que jamais, un rôle central.

Au moins deux théories générales d'explication ont été récemment proposées par des essayistes américains : celle de la « fin de l'histoire » par Francis Fukuyama, et celle du « choc des civilisations » par Samuel Huntington. Elles ont, toutes deux, vite montré leurs faiblesses et leurs carences devant la complexité de la chaotique situation contemporaine.

Celle-ci se caractérise, d'une part, par une triple révolution : technologique, économique et sociologique.

*Technologique.* De même que la révolution industrielle avait vu le remplacement du muscle par la machine, l'actuelle révolution informatique voit le remplacement du cerveau (du moins d'un nombre de plus en plus important de ses fonctions) par l'ordinateur. Cette « cérébralisation générale » des outils de production (aussi bien dans l'industrie que dans les services) est de surcroît accélérée par l'explosion des nouveaux réseaux des télécommunications et par la prolifération des cybermondes.

*Économique.* Le phénomène dominant demeure, sans nul doute, la mondialisation, c'est-à-dire l'interdépendance de plus en plus forte des économies de nombreux pays en raison des exigences du libre-échange commercial. Grâce à l'accélération technologique, la mondialisation concerne surtout le secteur financier qui domine actuellement, et de loin, la sphère de l'économie. Fonctionnant selon des règles qu'ils sont seuls à se fixer, les marchés financiers dictent désormais leurs lois aux États et aux responsables politiques. En d'autres termes, l'économie s'impose au politique

*Sociologique.* Les deux précédentes révolutions mettent en crise le concept traditionnel de pouvoir. Tout particulièrement celui de pouvoir politique. Certains y voient même l'amorce d'une situation pouvant conduire à la mort du politique (au sens moderne de ce terme, apparu au XVIIIᵉ siècle) et permettant le retour aux conditions de l'Ancien Régime. Dans un tel contexte, la démocratie perd une grande partie de sa crédibilité, car les citoyens ne peuvent plus intervenir efficacement, par leur vote, dans le domaine décisif de l'économie, désormais placée hors d'atteinte. De surcroît, l'économie est de plus en plus déconnectée du social et refuse d'endosser les conséquences (chômage de masse, paupérisation, exclusions, fractures) que provoque l'adoption de la logique de la globalisation des marchés. C'est pourquoi également certains annoncent la mort du travail, ou la fin définitive du plein emploi.

*Nouveaux paradigmes.* Cette triple révolution s'accompagne d'un changement d'au moins deux paradigmes (modèles généraux de pensée) fondamentaux sur lesquels reposait jusqu'à présent l'édifice sociopolitique des grands États démocratiques modernes : le progrès et la machine.

Le premier visait à réduire les inégalités et à exclure la violence dans les rapports sociaux. Le second considérait la collectivité nationale comme une sorte d'horloge, constituée de pièces ayant chacune une fonction, étant toutes solidaires entre elles (sans qu'aucune ne soit de trop dans le système), et faisant collectivement fonctionner le système.

Ces deux paradigmes essentiels qui soutenaient l'édifice sociopolitique contemporain sont désormais, de fait, remplacés par deux autres : respectivement la communication et le marché.

La promesse du bonheur, à l'échelon de la famille, de l'école, de l'entreprise ou de l'État, c'est la communication qui la formule. D'où la prolifération sans bornes des instruments de communication, dont Internet est l'aboutissement total, global et triomphal. Plus on communique, nous dit-on, plus notre société sera harmonieuse, et plus on sera heureux.

On peut même se demander si la communication ne vient pas de dépasser son état optimal, son point zénith, pour entrer dans une phase où toutes ses qualités se transforment en défauts, toutes ses vertus en vices. Car la nouvelle idéologie du tout-communication, cet impérialisme communicationnel, exerce depuis quelque temps sur les citoyens une authentique oppression.

Pendant longtemps la communication a libéré, parce qu'elle signifiait (depuis l'invention de l'écriture et celle de l'imprimerie) diffusion du savoir, de la connaissance, des lois et des lumières de la raison contre les superstitions et les obscurantismes de toutes sortes. Désormais, en s'imposant comme obligation absolue, en inondant tous les aspects de la vie sociale, politique, économique et culturelle. Elle exerce une tyrannie. Elle est probablement devenue la grande superstition de notre temps.

Par ailleurs, la société cède les commandes au marché, celui-ci, tel un liquide ou un gaz, s'infiltre, pénètre dans tous les interstices de l'activité humaine et les convertit à sa logique.

Même des domaines longtemps en marge du
marché (culture, sport, religion, mort, amour,
etc.) sont désormais entièrement gagnés à ses
lois de la marchandisation générale, et de
l'offre et la demande.

*Le système PPII.* Ce nouveau couple paradig-
matique (communication plus marché) favorise
l'expansion de toutes les activités du système
PPII (planétaire, permanent, immédiat, immatériel). En particulier les marchés financiers, les
contenus (programmes de télévision, échange
de données, circulation de dépêches) que véhi-
culent les nouvelles technologies de la communication et de l'information, et toutes les
activités liées à la cyberculture (en premier lieu
Internet).

Tous ces changements, rapides et formidables, déstabilisent, au sens fort, les dirigeants
politiques. Pour la plupart, ceux-ci se sentent
débordés par une cascade de bouleversements
qui modifient les règles du jeu et les laissent
partiellement impuissants. Ils n'en réclament
pas moins, à cor et à cri, une «modernisation» et une «adaptation» aux temps nouveaux.

De nombreux citoyens ont l'impression que
les vrais maîtres du monde ne sont pas ceux qui
détiennent les apparences du pouvoir politique, et que la quasi-totalité des chefs d'État

est dépassée par les événements et ne semble pas à la hauteur d'une crise dont beaucoup n'identifient même pas les contours.

*Deux dynamiques.* Car, aux aspects déjà cités, il faut ajouter, d'autre part, les deux principales dynamiques qui sont à l'œuvre au plan strictement géopolitique. Celles de fission d'un côté, et de fusion de l'autre.

*Fission.* Sa puissance de rupture, de fracture, de cassure est perceptible sur l'ensemble de la planète. En se fondant sur l'incombustible énergie du nationalisme et en glorifiant quelques traits distinctifs ethniques considérés comme sacrés (langue, sang, religion, territoire), cette dynamique de fission pousse, partout, des communautés (au sens ethnique) à réclamer un statut politique de souveraineté, quitte à briser les structures de l'État-nation.

C'est à ce titre, par exemple, que les trois fédérations existant jusqu'en 1991 à l'Est de l'Europe — Union soviétique, Tchécoslovaquie et Yougoslavie — ont éclaté. Cette dynamique de fission provoquant par ailleurs quelques-uns des plus graves conflits récents. En particulier dans le Caucase (guerres en Géorgie, en Arménie et en Azerbaïdjan) et dans les Balkans (guerres en Slovénie, Croatie, Bosnie et Kosovo). Seule demeure, à l'Est, la Fédération de Russie, mais déjà la fission la ronge, comme l'a tragiquement montré la guerre de Tchétchénie et la récente rébellion au Daghestan.

Mais la fission fragilise aussi des États de l'Ouest européen où les poussées séparatistes se multiplient avec plus ou moins d'intensité et de violences. Par exemple, en Espagne (Pays basque, Catalogne, Galice), en Italie (Padanie), en Belgique (Flandre), en France (Corse), au Royaume-Uni (Écosse, pays de Galles), etc. Et on peut observer le même phénomène en Amérique du Nord (Québec), en Afrique (où l'on a même vu l'Érythrée se détacher de l'Éthiopie), en Asie (au Sri Lanka, en Inde, en Chine, en Indonésie) et en Océanie (Bougainville).

*Fusion.* En même temps, et avec une énergie comparable, partout dans le monde, des États tendent à s'associer, à se rapprocher, à s'intégrer dans des espaces économiques, commerciaux, voire même politiques. L'exemple le plus fort de fusion est, bien entendu, celui de l'Union européenne qui voit des États riverains, longtemps considérés comme les pires ennemis les uns des autres, converger et envisager une union politique.

Ce modèle fédérateur, pacificateur, et en particulier son embryon économique, se reproduit dans de nombreuses régions de la planète où fleurissent les zones commerciales intégrées. Ainsi, en Amérique du Nord, l'Accord de

libre-échange nord-américain (ALÉNA), entre le
Canada, les États-Unis et le Mexique ; en Amérique du Sud, le Mercosur, entre l'Argentine, le
Brésil, le Paraguay et l'Uruguay ; en Afrique du
Nord, l'Union du Maghreb arabe (UMA) entre
le Maroc, l'Algérie, la Tunisie, la Libye et la Mau-
ritanie ; en Afrique du Sud, au Proche-Orient,
dans la mer Noire, en Asie-Pacifique, etc.

*Le modèle archipel.* Les fusions l'emporteront-
elles sur les fissions ? Mais, si les fusions se multiplient au nom de la mondialisation, ne va-t-on
pas vers la prolifération d'un autre type de fission, sociale cette fois, que certains qualifient de
« fracture » ? Car, à cet égard, le monde en cette
fin de siècle se structure sur le modèle de l'archipel : îles, de plus en plus nombreuses, de
pauvres, d'exclus au Nord ; îlots, de plus en plus
concentrés, de riches, de nantis au Sud.

Et cela dans une planète où les inégalités se
creusent et où, sur 5 milliards d'habitants à
peine 500 millions vivent confortablement, tandis que 4,5 milliards demeurent dans le besoin.
Une planète où la fortune des 358 personnes
les plus riches, milliardaires en dollars, est supérieure au revenu annuel des 45 % d'habitants
les plus pauvres, soit 2,6 milliards de personnes.
De tels écarts sont lourds de menaces contre lesquelles les armes traditionnelles des puissances
ne sont pas efficaces.

Car on ne fait pas la guerre de la même façon à un adversaire traditionnel et aux vraies menaces de notre temps : le crime organisé, les réseaux mafieux, la spéculation financière, la grande corruption, l'extension des nouvelles pandémies (Sida, virus Ebola, Creutzfeldt-Jakob, etc.), les pollutions de forte intensité, les fondamentalismes, les grandes migrations, l'effet de serre, la désertification, la prolifération nucléaire, etc.

Comment résister à l'encerclement de l'idéologie dominante ? Devant tant d'incertitudes et de périls, n'est-il pas temps de reconstruire la société planétaire et de repenser enfin le rôle d'une Organisation des Nations unies moins dépendante des États-Unis et plus attentive à la souffrance humaine ?

## DU MÊME AUTEUR

LA COMMUNICATION VICTIME DES MARCHANDS, Éd. La Découverte, 1989.

COMO NOS VENDEN LA MOTO (avec N. Chomsky), Éd. Icaria, Barcelone, 1995.

NOUVEAUX POUVOIRS, NOUVEAUX MAÎTRES DU MONDE, Éd. Fides, Montréal, 1996.

LA TYRANNIE DE LA COMMUNICATION, Éd. Galilée, 1999.

LES PROPAGANDES SILENCIEUSES, Éd. Galilée, 2000.

*Composition Interligne.*
*Impression Société Nouvelle Firmin-Didot*
*à Mesnil-sur-l'Estrée, le 10 janvier 2001.*
*Dépôt légal : janvier 2001.*
*1ᵉʳ dépôt légal dans la collection : novembre 1999.*
*Numéro d'imprimeur : 54087.*
ISBN 2-07-041113-3/Imprimé en France.

**99461**